Comment j'ai cessé d'être juif

Un regard israélien

Shlomo Sand

Comment j'ai cessé d'être juif

Un regard israélien

Traduit de l'hébreu par Michel Bilis

Café Voltaire
Flammarion

© Flammarion, 2013.
ISBN : 978-2-0812-7836-3

En souvenir de Pierre Vidal-Naquet
Tel-Aviv, 2013.

« Je considère que les situations extrêmes de l'homme ne sont plus actuellement des situations juives, en termes de souffrance. »

Romain Gary
*Le judaïsme n'est pas
une question de sang*, 1970.

I

Dans le vif du sujet

Un juif ne pourrait pas renoncer à son essence

La problématique principale déroulée dans cet essai ne manquera pas d'apparaître illégitime, et même révoltante, à plus d'un lecteur. Elle sera d'emblée récusée par nombre de laïcs déterminés à se définir comme juifs. Pour d'autres, je ne serai qu'un traître infâme, rongé par la haine de soi. Des judéophobes conséquents ont déjà qualifié d'impossible, voire d'absurde, une telle question, considérant qu'un juif appartient toujours à une autre race. Ces deux groupes affirmeront qu'un juif est un juif et qu'il n'existe pour l'homme aucun moyen de se soustraire à son identité de naissance. La judéité est perçue dans ces deux cas comme une essence immuable et monolithique, qui ne saurait être modifiée.

En ce début de XXIe siècle, à la lecture de journaux, de revues ou de livres, je ne pense pas qu'il soit exagéré d'affirmer que les juifs sont trop souvent présentés comme porteurs de traits de caractère ou de cellules cérébrales particulières et héréditaires qui les distingueraient de tous les autres humains, tout comme les Africains se différencient des Européens par leur couleur de peau. De même qu'il est impossible à un Africain de se dépouiller de sa peau, un juif ne pourrait pas renoncer à son essence.

Lorsqu'il recense ses habitants, l'État dont je suis citoyen définit ma nationalité comme « juif », et s'auto-désigne comme l'État du « peuple juif ». Autrement dit, ses fondateurs et législateurs ont considéré cet État comme étant la propriété collective des « juifs du monde », qu'ils soient ou non croyants, et non pas comme l'expression organique de la souveraineté démocratique du corps citoyen qui y réside.

L'État d'Israël me définit comme juif, non pas parce que je m'exprimerais dans une langue juive, fredonnerais des refrains juifs, m'alimenterais de nourriture juive, écrirais des livres juifs ou effectuerais une quelconque activité juive. Je suis répertorié comme juif parce que cet État, après avoir fouillé dans mes origines, a décidé que je suis né d'une mère juive ; elle-même juive car ma grand-mère l'était aussi grâce à (ou à cause de...) mon arrière-grand-mère, et ainsi de suite en remontant la chaîne des générations, jusqu'à la nuit des temps.

Si le hasard avait fait que seul mon père fût considéré comme juif, et qu'aux yeux de la loi israélienne ma mère fût une « non-juive », j'aurais été enregistré sous la nationalité autrichienne ; en effet, je suis né, fortuitement, dans un camp de personnes déplacées, dans la ville de Linz, au lendemain de la Seconde Guerre mondiale. Certes, j'aurais pu, dans ce cas, me voir attribuer la citoyenneté israélienne, mais le fait de parler, de jurer, d'enseigner ou d'écrire en hébreu, tout comme celui d'avoir étudié, durant toute ma jeunesse, dans des écoles israéliennes, ne m'aurait été d'aucune aide, et toute ma vie j'aurais été considéré comme un ressortissant légal de la nation autrichienne.

Fort heureusement, ou malheureusement, selon le regard que l'on porte sur cette question, ma mère fut identifiée comme juive en arrivant en Israël à la fin de 1948, et la mention « juif » fut inscrite sur ma carte d'identité. De plus, et aussi paradoxal que cela puisse paraître, d'après les lois de l'État d'Israël, tout comme selon la Loi juive (*halakha*), je ne puis cesser d'être juif ; cela ne peut pas relever de mon libre choix. Ma nationalité ne pourrait être effacée des registres de l'État des juifs que dans le cas limite, et exceptionnel, où je viendrais à me convertir à une autre religion.

Le problème est que je ne crois pas en un être suprême. Si l'on excepte une brève crise mystique, à l'âge de douze ans, j'ai toujours pensé que l'homme a créé Dieu et non pas l'inverse ; et cette invention m'est toujours apparue comme l'une des plus problématiques, des plus fascinantes et des plus meurtrières de l'humaine société. Par conséquent, je me retrouve pieds et poings liés, pris au piège de mon identité démente : je n'envisage pas de me convertir au christianisme, non pas seulement en raison de la cruauté de l'Inquisition et des croisades sanglantes, mais tout simplement parce que je ne crois pas en Jésus-Christ, fils de Dieu. Je n'envisage pas non plus de me convertir à l'islam, et ce pas seulement du fait de la *charia* traditionnelle qui permet à l'homme, s'il l'estime nécessaire, d'épouser quatre femmes, alors même que ce privilège est refusé à la femme, mais pour une raison plus prosaïque : je ne crois pas que Mahomet soit un prophète. Je ne deviendrai pas non plus un adepte de l'hindouisme, car je réprouve toute tradition qui sacralise les castes, ne serait-ce que de façon indirecte et atténuée. Je suis même incapable de devenir bouddhiste, me sentant dans l'impossibilité de transcender la mort et ne croyant pas en la réincarnation des âmes.

Je suis laïc et athée, même si mon cerveau limité peine à appréhender l'infini de l'univers face aux limites étroites et terribles de la vie qui s'y déroule. Les principes, et j'oserais même dire les croyances, qui guident mes pensées ont été, de tout temps, anthropocentristes ; autrement dit, la place centrale y est occupée par les humains et non par je ne sais quel pouvoir supérieur censé les diriger. Les grandes religions, même les plus charitables et les moins fanatiques, sont théocentristes : elles placent la volonté et les desseins de Dieu au-dessus de la vie des hommes, de leurs besoins, de leurs aspirations, de leurs rêves et de leurs fragilités.

Une configuration ethnocratique

L'histoire moderne regorge de bizarreries et d'ironie. Le nationalisme ethno-religieux émergeant au début du XIXe siècle imposait à Heinrich Heine de se convertir au christianisme pour pouvoir être reconnu comme allemand, le nationalisme polonais, dans les années 1930, refusait de voir en mon père un Polonais à part entière tant qu'il ne deviendrait pas catholique ; de même, les sionistes du début du XXIe siècle, en Israël et à l'étranger, rejettent absolument le principe d'une nationalité israélienne civile pour n'admettre qu'une nationalité juive. Or cette nationalité juive ne peut être acquise que par la seule voie, quasiment inaccessible, d'un acte religieux : toute personne désireuse de voir Israël comme son État national doit être née de mère juive ou bien satisfaire à un long et harassant parcours de conversion au judaïsme, conformément aux règles de la Loi juive, quand bien même cette personne serait résolument athée.

Dans l'État d'Israël, toute forme de définition de la judéité est profondément trompeuse, imprégnée de mauvaise foi et d'arrogance. Au moment où j'écris ces quelques lignes, des travailleurs immigrés, en plein désespoir, pères et mères d'enfants nés et élevés en Israël, et qui se sont adressés au grand rabbinat afin de pouvoir être convertis au judaïsme, voient leur demande rejetée sans la moindre explication : « Ne voulaient-ils pas intégrer la "nation juive" pour éviter de retourner dans l'enfer qu'ils avaient fui, et non pas pour satisfaire une croyance divine qui reconnaît les juifs comme un "peuple élu" ! »

À l'université, j'enseigne à des étudiants d'origine palestinienne : ils s'expriment dans un hébreu limpide et sont censés, selon la loi, être considérés comme des Israéliens à part entière, or les registres du ministère de l'Intérieur les identifient définitivement comme des « Arabes », et non pas comme des « Israéliens ». Cette marque d'identité ne procède nullement de leur choix volontaire ; elle leur est imposée, et il leur est impossible d'en changer. On imagine quel tollé se déclencherait en France, aux États-Unis, en Italie, en Allemagne ou dans d'autres démocraties libérales si les autorités imposaient à ceux qui s'identifient comme juifs de faire figurer cette définition sur leurs pièces d'identité, ou encore de faire mention de cette identité dans le recensement officiel de la population.

Si l'on comprend qu'après le judéocide de la Seconde Guerre mondiale, la résolution de l'ONU de 1947 ait pu faire référence à la création d'un « État juif » et d'un « État arabe » voisin, qui ne vit jamais le jour, le recours à de telles appellations apparaît, au début du XXIe siècle, comme un anachronisme problématique et dangereux. 25 % des citoyens israéliens, dont 20 % d'origine arabe, ne sont pas définis comme juifs d'après la loi. Ainsi, la dénomination « juif », contrairement à la définition « israélien », exclut explicitement les non-juifs du corps civique dans l'intérêt duquel l'État a vocation à exister. Cette configuration est non seulement antidémocratique, mais elle met aussi en danger l'existence même d'Israël.

Étreinte déterministe, aveugle et aveuglante

La politique identitaire antirépublicaine de l'État d'Israël n'est toutefois pas le seul motif qui m'a forcé à rédiger ce bref essai. Elle occupe certes une place centrale et a très certainement pesé sur les rudes propos auxquels j'ai parfois eu recours, mais d'autres facteurs ont aussi influé sur l'élaboration du contenu et des objectifs de cet ouvrage. J'ai voulu poser ici un grand point d'interrogation sur les idées convenues et les a priori profondément enracinés, non seulement dans l'espace public israélien, mais aussi dans les réseaux de la communication mondialisée. Je ressens, depuis pas mal de temps, un malaise face aux modes de définition de la judéité qui se sont installés au cœur de la culture occidentale durant la seconde moitié du XXe siècle et au début du XXIe siècle. De plus en plus, j'ai comme l'impression que, sous certains aspects, Hitler est sorti vainqueur de la Seconde Guerre mondiale. Il a bien sûr été militairement et politiquement vaincu, mais, en quelques années, son idéologie perverse s'est infiltrée et a refait surface jusqu'à émettre, de nos jours, de fortes pulsations, frappantes et menaçantes.

Ne nous y trompons pas ! Nous ne sommes plus menacés par l'horrible judéophobie qui a culminé dans le génocide. La haine morbide envers les juifs et leurs descendants laïcisés ne connaît pas une deuxième jeunesse dans la culture occidentale. En vérité, l'antisémitisme politique public a significativement reculé dans le monde démocratique libéral[1]. Malgré les cris d'orfraie de l'État d'Israël et

---

1. Le concept « antisémitisme » figure, faute de mieux, à plusieurs reprises dans ce texte ; il revêt, à mes yeux, des connotations douteuses car il a été inventé par les judéophobes, et le terme « sémite », manifestement raciste, est dépourvu de toute base historique.

de ses laudateurs sionistes en « diaspora », qui prétendent que la haine des juifs, à laquelle ils assimilent toute critique de la politique israélienne, enfle à chaque instant, il convient, à ce stade, de souligner un fait qui a largement conditionné et inspiré la rédaction de cet essai.

Aucun politicien ne peut de nos jours tenir publiquement des propos antijuifs, sauf peut-être en quelques lieux d'Europe centrale ou de la nouvelle sphère islamo-nationaliste. Aucun organe de presse sérieux ne distillera des balivernes antisémites, aucune maison d'édition respectable ne publiera un écrivain, aussi brillant soit-il, qui ferait l'apologie de la haine à l'encontre des juifs. Aucune station de radio ou chaîne de télévision, publique ou privée, ne laissera un commentateur hostile aux juifs s'exprimer ou paraître à l'écran. Et s'il arrive que des propos diffamatoires à l'encontre des juifs s'insinuent dans les médias de masse, ils sont rapidement et efficacement réprimés.

Le long siècle tourmenté de judéophobie que le monde occidental a connu peu ou prou de 1850 à 1950 est effectivement terminé, et c'est tant mieux ! Il subsiste certes des « poches » de cette haine, des reliquats hérités de ce passé qui se chuchotent dans le secret de salons douteux, ou encore se manifestent dans des cimetières (par définition, leur lieu prédestiné). Cette haine s'exprime parfois par la bouche de marginaux en délire, sans que le grand public lui reconnaisse la moindre légitimité. Tenter d'assimiler l'antisémitisme résiduel d'aujourd'hui à la puissante judéophobie passée revient à minorer grandement l'impact de la haine des juifs dans la civilisation occidentale, chrétienne et moderne, qui s'est exprimée jusqu'au milieu du XXe siècle.

Et pourtant, la conception des juifs comme peuple-race dont les qualités mystérieuses se transmettent par des voies obscures connaît encore de beaux jours. Il s'agissait autrefois de simples caractéristiques physiologiques, le sang ou la forme du visage, aujourd'hui c'est l'ADN ou, pour les plus subtils, un succédané allégé : la croyance forte en une ligne directe dans la chaîne des générations. Dans un lointain passé, on avait affaire à un mélange de peur, de mépris, de haine de l'autre et d'ignorance. De nos jours, de la part des « *goyim post-Shoah* », nous sommes face à une symbiose de craintes, de mauvaise conscience mais surtout d'ignorance, et, chez les « nouveaux juifs », on trouvera fréquemment victimisation, narcissisme, prétention et encore une fois... ignorance crasse.

Je rédige ce texte comme une tentative désespérée de me libérer de cette étreinte déterministe, aveugle et aveuglante, grosse de dangers pour mon avenir et pour celui de tous ceux qui me sont chers. Il existe un lien étroit entre l'identification des juifs en tant qu'ethnie ou peuple-race éternel et la politique d'Israël à l'égard de ceux de ses citoyens considérés comme non-juifs, à l'égard, également, des travailleurs immigrés venus de lointaines contrées, et bien évidemment de ses voisins, privés de droits et soumis à son régime d'occupation depuis bientôt cinquante ans. Il est difficile de nier une cuisante réalité : le développement d'une identité juive essentialiste, non religieuse, encourage chez beaucoup, tant en Israël qu'à l'extérieur, la perpétuation de positions ethnocentristes et racistes.

À la lumière des tragédies de la première moitié du XXᵉ siècle, la relation affective des descendants juifs envers Israël est aussi compréhensible qu'indéniable, et il serait stupide de la critiquer. Cependant, cette réalité n'obligeait nullement à ce que se tisse un lien étroit entre la conception de la judéité comme essence éternelle et anhistorique et le soutien croissant qu'une grande part de ceux qui s'identifient comme juifs apportent à la politique de l'État d'Israël – politique de ségrégation inhérente à sa définition même et au régime d'occupation prolongée et de colonisation qu'il a instauré dans les territoires conquis en 1967.

Je n'écris pas pour les antisémites. Je les considère comme totalement incultes ou atteints d'un mal incurable. Quant aux racistes plus érudits, je sais que, de toute façon, je ne les convaincrai pas. J'écris pour tous ceux qui s'interrogent sur les origines et les métamorphoses de l'identité juive, sur les formes modernes de sa présence et sur les répercussions politiques induites par ses diverses définitions. Pour cela, j'extrairai de ma mémoire friable des grumeaux de poussière et je dévoilerai certaines composantes des identités personnelles acquises au cours de ma vie.

II

L'IDENTITÉ N'EST PAS UN COUVRE-CHEF

De l'identité

Dans une école de la banlieue parisienne, l'enfant Mohammed passe pour un petit génie. Il est non seulement incollable en arithmétique, mais il excelle également en français. Un beau jour, l'institutrice lui demande sans détour : « Tu veux bien que je t'appelle Pierre ? » Le regard du jeune élève s'illumine de joie, et sa réponse déborde d'enthousiasme. Lorsque, le même jour, Mohammed/Pierre regagne le domicile familial, sa mère lui dit : « Mohammed, va acheter deux bouteilles de lait au supermarché. » L'enfant répond qu'il s'appelle maintenant Pierre et refuse d'obtempérer. Le même soir, son père rentre du travail, s'installe dans le fauteuil et demande à son fils de lui apporter de l'eau du frigidaire. L'enfant refuse et insiste à nouveau pour qu'on l'appelle Pierre. Le père se lève, lui administre une paire de gifles ; avec sa bague, il égratigne le visage de l'enfant. Le lendemain matin, la maîtresse l'interroge : « Oh, Pierre, qui t'a frappé au visage ? », et l'enfant de répondre, avec un air d'humiliation dans le regard : « C'est les Arabes qui m'ont tapé ! »

Évidemment, cette plaisanterie est racontée par des Français et non par des Arabes. Mis à part ce qu'elle révèle, en positif et en négatif, du caractère « ouvert » de la nationalité française, la plaisanterie ne pourrait être reprise en Israël à cause de la dimension ségrégative de sa politique d'identité. Ceci peut aussi nous inciter à méditer un instant sur la notion d'identité, sur l'image de soi-même qu'elle véhicule, sur les risques de fracture dont elle est porteuse, sur sa dimension imaginaire, sur la faculté que l'on a ou non d'en changer, sur sa tendance manifeste à dépendre des autres.

Au risque d'être banal, rappelons-le : très tôt dans son existence, l'être humain acquiert son identité, laquelle exige d'être reconnue par son entourage. Le « moi » s'invente et se fixe une identité dans un dialogue permanent avec le regard de l'autre. Bien que l'identité réponde elle-même à un besoin psychologique constant et anhistorique, commun à tous les humains, ses formes et ses variations dépendent, pour une part, de données naturelles (le sexe, la couleur de peau, la taille…) et, d'autre part, de circonstances externes, autrement dit sociales.

L'homme définit son identité à travers ses pratiques quotidiennes et ses rapports aux autres. Il la porte et ne peut pas vivre sans elle. L'identité constitue le point d'entrée en communication avec autrui même si elle ne s'accorde pas toujours au regard de celui-ci. Par elle, l'individu se rend signifiant à lui-même et à son entourage. Son identité participe de la définition de son statut dans le corps social où il évolue, et sur lequel elle interagit indirectement à son tour. Toute identité indivi-duelle, dans ses principaux traits, est tributaire d'une identité collective, tout comme cette dernière résulte, dans une large mesure, d'un assemblage d'identités particulières, mais vraisemblablement aussi d'éléments transcendants, tant dans les posi-tions à l'égard de ce collectif que dans les rapports réciproques avec les autres groupes.

Prenons garde : une identité n'est ni un chapeau ni un manteau ! On peut revêtir plusieurs identités simultanées mais, à la différence des chapeaux et des manteaux, il est difficile d'en changer rapide-ment ; d'où la situation absurde-comique dans l'histoire du petit Mohammed/Pierre. Un homme peut être patron, ou à l'inverse employé, et être en même temps athée, marié, grand, jeune, etc. Ces identités coexistent, elles comportent différents niveaux de puissance et de hiérarchie qui s'inter-pénètrent et se complètent. Les palettes d'identité de l'homme moderne, de sa jeunesse à sa vieillesse, constituent un sujet fascinant, notamment par leur façon de se manifester dans des situations chan-geantes et de contribuer à la création d'un ordre social ou, au contraire, à sa contestation. Porter atteinte à une identité est un sujet extrêmement sensible qui mérite débat.

Je veux ici me focaliser sur la problématique qui me préoccupe principalement. Si certaines iden-tités se complètent et se superposent, d'autres, en revanche, s'excluent mutuellement. On ne peut être simultanément mâle et femelle, grand et petit, marié et célibataire, et ainsi de suite. De même, on peut difficilement être à la fois musulman et chrétien, catholique et protestant, juif et bouddhiste, même si l'on trouvera toujours, çà et là, quelques cas exceptionnels de versions intermédiaires syncrétiques au moment où la foi première s'étiole.

Ainsi était-il impossible, durant les cent cinquante dernières années, d'être en même temps français et allemand, polonais et russe, italien et espagnol, chinois et vietnamien, marocain et algérien. L'identité religieuse, au passé comme au présent, et l'identité nationale, à l'ère moderne, ressemblent précisément aux chapeaux et manteaux que l'on ne peut pas porter en même temps. Aussi bien la religion (le monothéisme et non pas le polythéisme qui l'a précédé) que le patriotisme (non pas les phases de transition pré-nationales, mais les situations d'émigration ou les sensibilités post-nationales) ont exigé des individus et du collectif une exclusivité absolue. De là, notamment, provenait leur puissance.

Identités religieuses et identités nationales

Les identités religieuses de l'univers prémoderne ont apporté, durant des siècles, des significations et des explications aux phénomènes naturels et sociaux qui sans cela seraient demeurés incompréhensibles. Pour pouvoir surmonter leur finitude, elles ont aussi conféré à la vie un halo d'éternité, grâce à l'au-delà et à la réincarnation des âmes. Pour cette prestation utile et durable, les diverses

Églises réclamaient non seulement des contreparties financières, mais également une dévotion absolue à la vérité exclusive qu'elles proposaient.

Cette vérité a conforté le croyant, l'a intégré dans un groupe identitaire bien visible, et a ainsi donné à sa vie non seulement du sens, mais aussi de l'ordre et de la sécurité. Outre son identité de paysan ou de forgeron, de commerçant ou de colporteur, de noble ou de serf, l'individu savait qu'il était aussi chrétien, juif, musulman, hindouiste, bouddhiste... Il n'y avait pas d'hommes sans identité religieuse, car, jusque récemment, il était inconcevable qu'il y eût des hommes sans dieu. Le renforcement de l'emprise humaine sur la nature, sur ses produits et ses caprices, grâce au décryptage de l'« essence des choses », a notablement contribué à ébranler le dieu tout-puissant, et surtout à délégitimer, aux yeux des peuples, ses agents accrédités ici-bas. Le recul des religions traditionnelles et institutionnelles, sans pour autant entraîner leur disparition, s'est effectué en même temps que la poussée d'une nouvelle identité collective, venant assumer une partie du magistère moral sur la vie sociale. Avec l'essor de l'économie de marché dont l'industrialisation et l'ère de l'impérialisme marquent l'apogée, avec le puissant processus de modernisation des moyens de la communication humaine – de l'imprimerie jusqu'à la radio et la télévision – et avec les bouleversements dans la structure des rapports de classes, l'identité nationale est apparue comme le principal paratonnerre aux orages de l'époque moderne.

Cette nouvelle identité collective était devenue nécessaire pour différentes raisons, dont la mobilité horizontale (liée à l'urbanisation) et verticale (avec la stratification sociale), et, bien entendu, la division du travail, en fragmentation croissante, qui a besoin d'une culture publique homogène pour garantir son bon fonctionnement. L'État-nation a contrôlé le processus de nationalisation des masses qui n'aurait pas pu se réaliser sans lui. Il s'est pour cela appuyé sur d'efficaces réseaux de communication publique et privée, mais surtout, depuis la fin du XIXe siècle, sur ces deux bras robustes que furent le système d'éducation obligatoire, avec ses productions pédagogiques nationales d'une part, et d'autre part le service militaire, avec ses finalités militaristes nationales.

Cette nationalité nouvelle a largement exploité l'identité religieuse antérieure. Elle a souvent pillé ses symboles et une partie des rituels qui lui ont servi de fondations pour s'édifier. À d'autres moments, elle les a complètement « laïcisés », en inventant de nouveaux concepts, symboles et drapeaux qui se sont greffés sur un passé mythologique, quelquefois païen. Plus faible que la religion, sous certains aspects, notamment dans le domaine de la métaphysique de l'âme, elle s'est affirmée plus hardiment sur d'autres plans, celui notamment de l'ampleur de la mobilisation populaire et du sentiment partagé par tous d'être les propriétaires égaux de la patrie. La différence majeure entre identité religieuse et identité nationale réside dans le concept de souveraineté : pour le fidèle religieux

« authentique », le souverain se situe toujours à l'extérieur de son identité personnelle tandis que chez le fidèle de la nationalité le sentiment de souveraineté en est partie intégrante. Face à l'ancien Seigneur et Maître de l'univers, la nation, érigée en maîtresse de ses actions et responsable de ses actes, est ainsi devenue le principal objet de révérence.

Au cours des deux derniers siècles, l'identité nationale a exigé de millions d'hommes d'être prêts à mourir pour la défense ou l'expansion de leur patrie ; à un nombre encore plus grand elle a imposé une langue et des modes de vie, et elle leur a insufflé un fort sentiment de solidarité collective et populaire, sans précédent.

La nation et l'histoire

L'idéologie nationale a nationalisé l'Histoire et l'a adaptée aux besoins patriotiques du présent. L'imaginaire national s'est toujours déroulé en récits. Des légendes, des hauts faits et des mythes de tribus, de communautés religieuses et de royaumes se sont transmis, c'est une narration continue établie par des peuples qui auraient existé depuis la nuit des temps. Des images fragmentaires et brouillées ont servi de fondements fictifs à un continuum temporel mythologique en place depuis la genèse de la nation.

On peut même affirmer que sans l'idée de nation l'histoire en tant que discipline, qui depuis de nombreuses années constitue mon gagne-pain, n'aurait pas été enseignée avec une telle constance, de l'école primaire jusqu'à la fin de l'enseignement secondaire. Dans toutes les démocraties, libérales ou totalitaires, un élève doit réciter l'histoire de « son peuple ». Clio, la muse de l'Histoire, est devenue une déesse à qui les modernes rendent un culte pour façonner leur identité collective et souder leur foi dans la représentation politique de la nation.

À la fin du XIXᵉ siècle, en réaction à la racialisation croissante répandue par les antisémites, une petite fraction des descendants juifs a connu une phase de nationalisation, voire de racialisation. Ce phénomène a redonné vigueur à des mythes et légendes antiques et a façonné diverses identités laïques d'un type nouveau. La *kippa*, le châle, le port de la barbe chez les hommes, la coiffe et la perruque chez les femmes ont presque disparu et ont cédé la place, au milieu du XXᵉ siècle, aux « juifs ethniques ». Une partie de ces post-juifs a adhéré au sionisme. D'autres ont adopté le point de vue essentialiste de leurs détracteurs, sans pour autant devenir des tenants du nationalisme juif.

Si jusqu'à un passé récent, malgré les persécutions, le juif était demeuré un fidèle révérant un dieu particulier, se pliant avec obstination à une suite de commandements religieux et se livrant à une série de prières, l'histoire allait lui occasionner des surprises dans le domaine de la politique identitaire moderne. Désormais, aussi bien aux yeux des antisémites ou des philosémites qu'à ceux des « nouveaux juifs », le juif est juif pour toujours, mais pas du fait des pratiques et des normes cultuelles auxquelles il se soumet. Il est perçu comme juif, non point par ce qu'il fait, par ce qu'il crée, par ce qu'il pense ou dit, mais à cause d'une essence éternelle, inhérente à sa personnalité spécifique et mystérieuse (des scientifiques sionistes y ajouteront même la génétique). Je vais m'efforcer de traiter quelques-unes des causes qui ont abouti à cette situation.

III

Une culture juive laïque ?

Une question gênante

Le début de mon questionnement, qui comme tout début n'en était pas vraiment un, eut lieu en 2001, dans la spacieuse cuisine d'un appartement du XIᵉ arrondissement à Paris. Michèle, l'épouse d'un de mes plus proches amis, me prit de court lors d'une de mes visites : « Dis-moi, Shlomo, pourquoi mon mari qui ne met jamais les pieds dans une synagogue, qui ne célèbre pas les fêtes juives, qui n'allume pas de bougies le jour du *shabbat*, et qui ne croit pas en Dieu est défini comme juif, tandis que moi, qui ne vais plus à l'église depuis des dizaines d'années, moi qui suis complètement laïque, personne ne me définit comme chrétienne ou catholique ? »

Je fus surpris par le caractère direct et inattendu de la question. Je réfléchis et, comme à l'accoutumée, je m'employai à montrer que j'ai réponse à tout. Je me lançai dans une réponse vigoureuse, alors qu'au fond je n'étais pas complètement sûr de mon argumentaire : « Contrairement à l'identité chrétienne, l'identité juive ne repose pas seulement sur la croyance en Dieu et sur sa vénération.

L'histoire a marqué de ses griffes le juif et a gravé sur sa face des signes qui dépassent la tradition du culte. L'hostilité à son égard, dans les temps modernes, a forgé chez le juif une identité spécifique de victime de ségrégation, qui doit être prise en considération et respectée. » La discussion s'est évidemment achevée sur Hitler et le nazisme, et ainsi, fort de mon savoir historique, j'ai amoncelé au fur et à mesure une pile d'arguments de nature à justifier la définition de mon ami comme juif laïc, et – qui sait ? – peut-être aussi pour me mettre d'équerre avec ma propre identité.

Je ressentis après cette conversation un malaise diffus ; mes arguments m'avaient laissé insatisfait. Quelque chose clochait, que je ne parvenais pas à définir. Une certaine pensée, que je redoutais, s'insinuait en moi, avant de se dérober à chaque fois. Je ressassai tout cela pendant plusieurs semaines, sans parvenir à trouver d'issue. C'est bien connu : il est plus facile de s'en tenir à des préjugés et à des idées simples constamment reproduites dans des conversations courantes que de remettre en cause les concepts et les constructions de base de notre système de pensée. Comme l'a dit en son temps Martin Heidegger : le plus souvent, au cours de notre vie, nous pensons moins avec les mots que les mots et les concepts ne se pensent à travers nous.

Qu'est-ce qui pourrait bien contredire l'idée qu'il existe des juifs laïcs et athées ? N'y a-t-il pas eu un peuple juif exilé, dispersé et errant durant deux millénaires (j'accordais foi, comme tout le monde, au mythe chrétien-sioniste d'un « exil du peuple juif ») ? L'histoire des persécutions n'avait-elle pas ainsi développé chez tous les juifs une sensibilité particulière, des conduites de base communes et une solidarité spécifique ? Mais voyons ! Il existe bien une culture juive laïque dans laquelle, selon toutes les apparences, j'ai toujours grandi : Karl Marx, Sigmund Freud et Albert Einstein n'ont-ils pas créé une culture et une science juives ? Ne sont-ils pas, avec beaucoup d'autres, un sujet de fierté pour le juif laïc moderne ? C'est du moins ce que j'ai souvent entendu dire par mes professeurs et mes camarades !

Plus le temps passait, plus mon esprit était obnubilé par cette problématique. Il existe bien une identité juive laïque : la preuve en est que des gens se disent juifs alors même qu'ils ne croient pas en Dieu et n'ont pas conservé le moindre reste de tradition. L'affirmation de Jean-Paul Sartre, ancienne et précise, selon laquelle c'est l'antisémite qui crée le juif laïc, conservait à mes yeux toute sa pertinence. L'identité n'est-elle pas figée par le regard de l'autre au moins autant que par la conscience que le sujet a de lui-même ? Tant que, pour l'autre « non juif », le juif existe, je continuais de penser qu'il demeure impossible d'effacer l'« altérité juive » ou d'en faire abstraction.

De Marx à Serge Gainsbourg : une culture commune ?

Lorsque j'ai entrepris de clarifier en quoi consiste une culture juive laïque, la difficulté d'une telle

33

définition m'est soudainement apparue, et je me suis trouvé plongé dans un abîme de perplexité. Il existe bien évidemment une culture religieuse ancestrale, avec ses dimensions folkloriques et exotiques. Certes, la Bible, loin d'être l'apanage du seul judaïsme, constitue un des fondements culturels et historiques de toutes les religions monothéistes occidentales (judaïsme, christianisme et islam), mais la Mishna, le Talmud, Saadia Gaon, Maïmonide et toutes les exégèses rabbiniques, des siècles durant, ont été et sont des créations et des créateurs juifs par excellence. Une pensée juive importante s'est également exprimée à l'époque moderne : avec Moïse Mendelssohn, Hermann Cohen, Franz Rosenzweig, Martin Buber, Abraham Joshua Heschel, et jusqu'à Emmanuel Levinas, divers penseurs ont voulu lisser et promouvoir une réflexion philosophique juive ; domaine dans lequel ils sont parvenus çà et là à des réalisations remarquables (il faut cependant mentionner que, par-delà son originalité, cette pensée s'est toujours nourrie des synthèses philosophiques non juives)[1].

---

1. Je n'ai pas inclus Spinoza dans cette énumération. La propension stupide, en Israël et ailleurs, à le présenter comme un penseur juif, et non pas comme un philosophe issu d'un milieu juif, est révélatrice des conceptions essentialistes et tribales de ceux qui se proclament « juifs laïcs ». Non seulement Spinoza fut de son vivant ostracisé et mis à l'index par la communauté juive, mais lui-même, dans son âge mûr, ne se voyait pas comme juif et recourait toujours à la troisième personne pour parler des juifs. Bien qu'ayant reçu à la naissance le prénom hébraïque « Baruch », il ne l'a jamais utilisé en signature. Il signait « Benedict » ou « Benedictus ».

Mais quelle est donc la culture spécifique qu'ont en partage ceux qui se définissent comme juifs laïcs et athées ? Disposent-ils d'une langue commune, avec ses expressions élitistes et populaires ? La culture d'un peuple ne se caractérise-t-elle pas avant tout par une langue et notamment des codes particuliers au moyen desquels s'effectue la communication ? Quel mode de vie distingue et caractérise les juifs laïcs ? Où produit-on de nos jours des pièces de théâtre ou des films juifs ? Pourquoi ne s'écrit-il pas de poésie, de littérature ni de philosophie juive laïque ? Existe-t-il des manières d'être, des gestes, des goûts spécifiques et communs à tous les juifs du monde ou à une majorité d'entre eux ? Autrement dit, trouve-t-on une culture créatrice juive servant de nourriture spirituelle ou d'expression quotidienne à ceux qui dans le monde sont identifiés comme juifs ? Peut-on concrètement faire état d'apports juifs dans la pensée de Karl Marx, de Sigmund Freud et d'Albert Einstein ? La critique du capitalisme, la théorie de l'inconscient et celle de la relativité ont-elles contribué à la préservation et au façon-nement d'une culture juive laïque ?

Sachant que chacune de ces questions appelle une réponse négative, j'ai compris que mon identité juive-laïque est fondée sur mon origine, c'est-à-dire exclusivement sur le passé, ou plus exactement sur sa mémoire reconstruite. Le présent et le futur n'in-terviennent quasiment pas dans l'identité collective juive que j'ai tenté de justifier en tant qu'identité vivante et prenant appui sur une culture spécifique. On ne trouvera pas de mode de vie commun auxdits

« juifs laïcs » : ils n'éprouvent pas aujourd'hui des peines ou des joies qui soient à l'unisson des autres juifs laïcs, dans le monde entier. Ils ne communiquent ni ne rêvent dans une langue qui leur soit spécifique, mais ils s'expriment, pleurent, gagnent leur vie et créent chacun dans leurs langues et leurs cultures nationales.

Tristan Tzara, né Samuel Rosenstock, dont la révolte dadaïste a enflammé ma jeunesse, n'a pas écrit de poème juif. Harold Pinter, aux origines juives d'Europe orientale, dramaturge et scénariste qui m'a toujours enchanté, a produit en anglais des chefs-d'œuvre qui n'ont rien de juif. Stanley Kubrick, mon cinéaste préféré, a réalisé des films très américains et universels sans une once de judaïsme. Henri Bergson, le philosophe auquel j'ai dû me mesurer pour la première fois en rédigeant ma thèse de doctorat, n'a pas exposé au monde une philosophie juive. Marc Bloch, l'un des plus grands historiens du XXᵉ siècle, chez qui j'ai vainement tenté de piller des raisonnements et des techniques narratives, ne s'est aucunement intéressé à l'histoire juive mais s'est intégralement immergé dans l'histoire de l'Europe. Arthur Koestler, l'audacieux provocateur qui m'a tant aidé à me libérer de mes illusions communistes, était-il un écrivain juif ? Se pourrait-il que Serge Gainsbourg, dont je suis un vieil admirateur, ait composé et interprété des chansons juives, et non pas françaises, sans qu'on l'ait remarqué ?

Tous ceux que j'ai mentionnés, et bien d'autre encore, étaient issus d'un milieu familial juif. Cela

peut expliquer la présence d'un nombre relativement important de personnalités d'origine juive
dans le champ des sciences et de la culture en
Occident. La situation de marginalité prolongée
d'une minorité religieuse persécutée, cantonnée
contre son gré dans des sphères d'activité abstraite,
a constitué un tremplin pour que celle-ci intègre
pleinement une modernité marquée par un foison-
nement de signes et de symboles.

Des débris d'un passé juif en voie de dissolution
ont subsisté parmi quelques créateurs qui peuvent
être qualifiés de « post-juifs ». Bien qu'à une certaine époque il ait voulu apprendre l'hébreu, Franz
Kafka a produit une œuvre manifestement non
juive où, assez délibérément, il ne fait figurer aucun
personnage central juif. Mais la vie de sa famille
en Europe centrale a probablement influé sur la
forte expression dans ses récits de marques d'aliénation et d'angoisse. Cela vaut aussi pour Walter
Benjamin : sa curiosité pour le milieu d'origine
juive dont il était issu l'a conduit à s'intéresser un
temps à l'hébreu et à la mystique de la Kabbale
dont il s'est cependant assez vite détaché, pour
s'investir pleinement dans la critique de la culture
allemande et même, plus précisément, européenne,
comme en témoignent ses écrits originaux sur la
France. Chez lui aussi s'exprime une dimension
tragique dont les racines plongent entre autres dans
son milieu familial juif.

Une sensibilité d'Europe orientale, à la fois juive
et yiddish, continue de résonner dans les ouvrages
de Stefan Zweig, Joseph Roth, Irène Némirovsky,
Saul Bellow ou Philip Roth, Henry Roth ou Chaïm

Potok, et bien d'autres. Philip Roth, parfois accusé d'antisémitisme, a lui-même souvent insisté sur le fait qu'il écrit « américain » et non pas « juif », et les personnages d'origine yiddish figurant dans ses récits sont les derniers Mohicans d'une génération en voie de disparition.

Aucun de ces auteurs n'a créé une culture laïque commune à tous les descendants juifs, ni à une majorité d'entre eux. Un anthropologue, même novice, sait qu'une culture et une sensibilité ne trouvent pas leur unique source dans l'héritage des ancêtres, ni seulement dans les signes et les traces transmis par le souvenir, mais qu'elles se construisent avant tout sur un vécu partagé (avec ses entrelacs et ses contradictions), sur des modes de communication. Sachant qu'il n'y a pas de mode de vie quotidien spécifique susceptible de relier entre eux des laïcs d'origine juive, dans le monde entier, on ne peut conclure à l'existence d'une culture juive vivante, non religieuse ; et pas davantage à celle d'un possible avenir commun, à partir des vestiges hérités d'une tradition religieuse en recul.

Un présent étouffé par les traditions

De nombreux laïcs d'origine juive, même totalement athées, célèbrent des fêtes et des cérémonies issues de la longue histoire des pratiques cultuelles juives. Certains apprennent à leurs enfants à allumer, en hiver, un chandelier de *Hanoucca* (la

fête des Lumières), d'autres, au printemps, parti-
cipent au *Seder* de *Pessah* (repas de Pâque), voire
se rendent à la synagogue, à l'automne, le jour de
Kippour (jour du Grand Pardon). Si les synagogues,
les églises, les mosquées ou les temples doivent être
regardés par les laïcs comme des sortes de musées,
les fêtes, les commémorations et les cérémonies
apparaissent en revanche comme des expressions
culturelles chargées de signification dont la valeur
ne s'estompe pas et auxquelles il n'est pas facile
de renoncer. Elles rompent en effet l'uniformité du
cycle des jours, elles nous rapprochent, pour un
moment, de nos familles qui ont tendance à s'éloi-
gner et à se disjoindre ; elles font resurgir des
souvenirs nostalgiques de la vie de nos proches
disparus. Une culture ne saurait toutefois se résu-
mer à la nostalgie et à des commémorations
rituelles d'origine religieuse qui peuvent, certes,
constituer un point de départ appréciable dans le
système complexe de définition des individus, mais
qui risquent aussi de contribuer à instaurer des
murs de séparation entre les humains. Si, au nom
d'une tradition religieuse, on empêche des jeunes
de se rapprocher et de s'aimer, si la fidélité et le
respect des croyances, ou les craintes des parents,
incitent à rejeter et à dévaloriser l'autre, jugé différent de soi, on se condamne alors à rester pri-
sonnier toute sa vie de ces mêmes points de départ
rigidifiés par le temps, devenus bientôt menaçants.
Les sociétés nationales où des critères religieux
communautaires exercent un rôle dominant sur les
lignes de définition identitaire ne peuvent être qua-
lifiées de libérales ou démocratiques.

J'ai été, peu à peu, taraudé par cette question : mon identité juive laïque n'a reposé jusqu'ici que sur un passé mort ; elle est quasiment creuse du point de vue du présent vivant, qui crée et oriente le futur. Quel est ce passé, et quelle en est l'histoire ? Les couches géologiques qui l'enserrent jouent un rôle significatif. Je vais tenter de poser quelques faisceaux de lumière vacillants et fragmentaires sur ces constructions rétrospectives juives et sionistes.

IV

DOULEUR ET TEMPS LONG

Le récit des yeux

En 1975, je suis venu en France poursuivre mes études d'histoire. Mon père qui avait toujours vécu en Israël depuis 1948 en sortit pour la première fois, pour aller rendre visite à son frère résidant à Montréal. Il fit escale pour me voir à Paris. J'étais fier de lui servir de guide dans la « ville lumière », et je me souviens que nous eûmes la chance de profiter d'un temps chaud et lumineux, avec, en prime, les couchers de soleil sur les monuments et les toits dorés de la capitale !

Alors que nous déambulions, mon père m'affirma qu'il pouvait reconnaître un juif dans la rue. Je me moquai de lui : « Tu te plains toujours de vivre avec trop de juifs dans l'État d'Israël ; tu n'es tout de même pas venu à Paris pour en chercher encore d'autres !... Et comment pourrais-tu me prouver que celui que tu auras identifié est bien un juif ? » À l'arrêt d'autobus, un homme se tenait dans la file d'attente : élancé, les cheveux blancs, les yeux bleus, il m'apparaissait alors comme un vieillard. Mon père me chuchota qu'il s'agissait d'un juif et, pour le prouver, il me proposa de parler en yiddish à haute voix, partant du principe que l'inconnu se joindrait à la conversation. Comme deux Israéliens ou deux Méditerranéens « typiques », il ne nous fut pas difficile de faire du bruit. La « cible » juive ne tourna même pas le regard dans notre direction.

Durant le trajet, mon père m'interrogeait sur chaque place, chaque carrefour, chaque monument que nous croisions. Lorsque nous arrivâmes, me semble-t-il, place Vendôme, il me demanda le nom de la colonne érigée en son milieu. Malgré mon assez bonne connaissance de Paris, je me trouvai dans l'incapacité de répondre. Le « juif » qui était assis devant nous tourna soudain la tête et se mit à expliquer, en yiddish, l'origine de la colonne. Venant de Roumanie, il était arrivé en France avant la Seconde Guerre mondiale. Il était ingénieur et habitait à Montmartre.

Je restai stupéfait et sans voix. Une fois descendu de l'autobus, je m'empressai d'interroger mon père sur ses méthodes d'identification : « C'est grâce aux yeux », me répondit-il. J'avais du mal à comprendre : « Mais il avait les yeux bleus ! dis-je — Ce n'est pas la forme, ni la couleur ; c'est le regard ! — Quel regard ? — Un regard fuyant et triste, empreint de peur et d'appréhensions profondes ; c'est comme ça que les soldats allemands identifiaient parfois les juifs en Pologne. Mais ne t'en fais pas, on ne trouve plus ça chez les jeunes Israéliens. » Et mon père de clore cet épisode étrange.

J'examinai très attentivement son regard, comme je ne l'avais jamais fait auparavant, et pour la première fois il me sembla percevoir l'impact que peut avoir sur le mental une situation de marginalité prolongée. Il serait superflu d'ajouter que mon israélité intensive et impatiente n'y avait pas prêté la moindre attention jusqu'alors.

Une histoire de souffrances, une histoire de persécutions, une histoire de résistance d'un groupe minoritaire au milieu d'une civilisation religieuse hostile et dominante : le récit des yeux est bien trop long pour pouvoir être raconté dans le cadre de ce bref essai. Cependant, avant que lectrices et lecteurs ne concluent qu'ils ont entre les mains un nouvel écrit sur la victimisation juive, destiné à susciter chez les *goyim* un sentiment de culpabilité, et à augmenter ainsi son capital de compassion, je me dois d'ajouter quelques petits commentaires de mauvais aloi.

Retour sur l'histoire ancienne

J'ai toujours évité de me complaire dans l'évocation des souffrances du passé, et je n'ai pas davantage rêvé de réparer les malheurs d'hier. Je fais partie de ceux qui cherchent à cerner, enrayer, ou à tout le moins réduire le trop-plein d'injustices du temps présent. Les persécutés et les victimes d'hier me paraissent moins prioritaires que les persécutés d'aujourd'hui ou que les victimes de demain. Je sais aussi combien l'histoire sert trop souvent d'arène où l'on voit permuter le chasseur et le chassé, le fort et le faible.

Comme chercheur et enseignant en Histoire, j'ai conscience que les juifs n'ont pas, en tout temps et en tout lieu, ni avec la même violence et la même fréquence, subi des persécutions. Les juifs de Babylone, aux époques perse et hellène, les juifs des grands royaumes convertis, les juifs de l'Andalousie musulmane et d'autres communautés tout au long des siècles ont vécu des existences différentes, sans qu'on puisse parler d'une destinée commune. Par ailleurs, là où les juifs ont régné (le royaume hasmonéen au IIᵉ siècle avant J.-C. ou le royaume d'Himyar, dans la presqu'île arabique, au Vᵉ siècle avant J.-C.), leur comportement vis-à-vis des autres fut semblable à celui que ces derniers eurent à leur égard ailleurs et ultérieurement. Mais dans l'Europe médiévale, et notamment à l'est du continent, au seuil de l'ère moderne, des millions de juifs ont évidemment éprouvé des situations d'aliénation et ont vécu en étrangers, dans une longue et profonde insécurité.

Pour comprendre tout cela, il faut remonter le temps jusqu'à des époques lointaines, enveloppées dans des visions indistinctes et brouillées, ce qui rend souvent difficile leur localisation. À l'origine, on trouve une croyance divine monothéiste qu'il est encore difficile de définir comme juive et qu'il serait plus exact de qualifier de yahviste. Elle avait commencé à prendre forme au Vᵉ siècle avant J.-C. probablement, quelque temps après que l'élite politique et cléricale de Jérusalem fut exilée de Babylone. La plupart des admirables récits de la Bible ont été composés sous l'effet de ces turbulences insolites et de la rencontre avec le zoroastrisme perse. Au IIᵉ siècle avant J.-C., la jeune religion était déjà suffisamment sûre d'elle-même pour s'insurger et fonder sur la terre de Judée le premier royaume théocratique et monothéiste qui convertira par la force tous ses sujets et ceux des terres voisines.

La nouvelle foi révolutionnaire fait irruption et se propage par le biais des réseaux culturels hellénistiques, puis par les voies de communication romaines autour de la Méditerranée. Après l'échec de ses trois grandes révoltes contre le paganisme, à la fin du Ier et au début du IIe siècle après J.-C., elle se scinde en deux courants majeurs entre lesquels le fossé n'a cessé de se creuser : le judaïsme rabbinique et le christianisme paulinien. Le premier, plus modeste, donnera au monde la Mishna et le Talmud, là où le second, plus efficace, apportera le Nouveau Testament. Le christianisme en sortira grand vainqueur et imposera à son concurrent défait un long et douloureux état de siège.

Ainsi retomba le grand souffle de judaïsation qui avait parcouru l'espace méditerranéen, et le prêche juif se cantonna désormais à la marge de la civilisation chrétienne médiévale. Il connut un second coup d'arrêt avec la montée en puissance de l'islam, sa sœur benjamine, et dès lors se retrouva soumis au bon vouloir et aux humeurs des autres puissants.

Évoquons ici un fait historique qui suscite une certaine gêne chez tous ceux qui aujourd'hui, selon les critères de la mode occidentale, s'honorent de leur appartenance à la civilisation « judéo-chrétienne ». Le sort des communautés juives à l'ombre de l'islam fut très différent de celui, souvent sombre, qu'elles connurent en Europe. Certes, l'islam voyait dans le judaïsme une religion inférieure, mais s'il y eut des cas de persécutions, les musulmans ont dans l'ensemble accordé au judaïsme le respect dû à une foi divine ancienne qui, comme le christianisme, avait besoin d'être protégée par la religion dominante.

Juifs, chrétiens et musulmans

Les juifs sont appelés « gens du Livre » dans le Coran (sourate 9, 5), alors que dans le Nouveau Testament, bien antérieur, il est dit à leur sujet : « Ils tomberont sous le tranchant du glaive et ils seront emmenés captifs dans toutes les nations » (Luc 21, 24). Par les récits de l'Évangile, les juifs ont généralement été perçus dans le monde chrétien comme les descendants des meurtriers de Jésus, expulsés de Jérusalem par la force. Durant la plupart de ses phases, le christianisme s'est refusé à voir dans le judaïsme une religion concurrente légitime. Il n'y a qu'un seul vrai Israël (*verus Israel*), et non pas deux, et certainement pas trois ! Par principe, le christianisme a récusé la possibilité qu'un autre monothéisme, juif ou musulman, pût exister à ses côtés : c'est ainsi qu'à la fin du Moyen Âge, plus aucune communauté musulmane ne subsistait en Europe, tandis que des communautés chrétiennes ont poursuivi leur existence en terre d'islam.

Pour le christianisme, il était tout à la fois incompréhensible et inacceptable que les juifs aient pu rester volontairement fidèles à une autre religion et se soient refusé à reconnaître que, sous la forme du messie, la grâce était déjà advenue sur la terre. Aussi dans l'imaginaire chrétien les juifs demeuraient-ils les rejetons de Judas Iscariote, qui, du fait de leurs péchés, furent bannis de Jérusalem, et ils continuaient d'apparaître comme une menace sur les fidèles du Christ, purs et innocents. Contrairement à ce que subirent parfois les païens, les juifs ne furent pas la cible de projets d'extermination ; l'Église choisit de conserver le juif misérable comme preuve de la justesse du chemin pris par la foi véritable, mais préjugés, offenses cycliques, expulsions en masse, accusations de crime rituel et pogroms spontanés ont fait partie intégrante de la civilisation « judéo-chrétienne », des origines jusqu'au seuil de l'ère moderne.

Racines historiques de la judéophobie en Europe

Cette haine religieuse de « l'autre » au long cours a constitué une assise mentale d'où a émergé la judéophobie moderne du XIXᵉ siècle. Sans cet arrière-fond prolongé, cette haine nationaliste et raciste n'aurait probablement pas charrié un tel torrent ni connu une aussi large diffusion. De plus, si jusqu'alors les juifs avaient pu « se bonifier » et « s'amender » en se convertissant, au prix d'efforts et de bonne volonté, au christianisme, les voies du salut, s'ils répudiaient leur foi traditionnelle, allaient désormais s'obstruer. Les juifs ne pourraient pas devenir de vrais Anglo-Saxons, de fiers

Gallo-catholiques, d'authentiques Aryens teutons ni des nationaux slaves d'origine.

Lorsque les fidèles juifs commencèrent à sortir des ghettos réels que leur avaient imposés, dans le passé, les pouvoirs chrétiens, mais aussi du ghetto idéologique et mental édifié par leurs propres institutions, et qu'ils se mirent à prendre une part active à la création des cultures nationales en Europe, naquit, en parallèle, le racisme agressif qui les rejetait. Vivant en communautés urbaines, les juifs et leurs descendants (religieux ou laïcs) peuvent apparaître, au plan culturel et linguistique, comme les premiers Français, Allemands, Hollandais ou Britanniques. Le nationalisme moderne a pourtant continué de les présenter comme un corps étranger évoluant secrètement dans les artères des nouvelles nations et toujours prêt à y planter ses crocs acérés.

Dans le grand processus de construction des nations, les Français ont certes eu besoin de l'ennemi allemand, les Allemands de l'ennemi slave, les Polonais de l'ennemi orthodoxe, et ainsi de suite. Cependant, le juif, dans son rôle d'ennemi sur le « temps long », restait irremplaçable et très pratique face à la cristallisation ethnocentrique des nations érigées sur un fond chrétien.

Pour inventer une origine nationale on avait besoin de toute parcelle et de toute étincelle culturelle unifiante, qu'elle soit linguistique ou religieuse. La judéité, en tant qu'antithèse de l'identité chrétienne, remplissait efficacement cette fonction. Il y avait, certes, des différences : la judéophobie se donnait davantage libre cours à Paris qu'à

Londres, à Berlin qu'à Paris, à Vienne qu'à Berlin, et à Budapest, Varsovie, Kiev ou Minsk plus qu'en Occident. Presque partout, le nationalisme émergent avait dérobé à la tradition chrétienne le juif déicide et l'avait greffé sur la figure de l'autre « étranger » pour aider à bien marquer les frontières de la nation nouvelle. Bien sûr, les porte-voix de la nation n'étaient pas tous judéophobes, mais tous les antisémites politiques faisaient figure de prophètes zélés de l'édification des nations.

Le long siècle judéophobe s'étend, on l'a dit, de 1850 à 1950. « Le judaïsme dans la musique », article célèbre publié par Richard Wagner en 1850, pourrait en constituer la date de naissance symbolique officielle, tandis que la suppression par le pape Jean XXIII, en 1959, de la définition des juifs comme hérétiques et traîtres (*perfidi*) en marquerait le terme. La recrudescence de la haine moderne, à vitesse météorique, qui a culminé avec l'avènement du monstre nazi, s'est produite sur fond d'immigration juive croissante, en provenance d'Europe de l'Est, à la fin du XIXe siècle. Tout comme l'hostilité à l'encontre des immigrés arabes et musulmans contribue de nos jours à aiguiser une identité « blanche » et « judéo-chrétienne » de l'Europe, de même les vagues d'immigration de la population yiddish en leur temps cristallisèrent les consciences ethno-nationales. Cette immigration provenait de lieux où les juifs vivaient une situation de détresse bien plus dure que n'importe où en Occident ou dans la civilisation musulmane.

V

IMMIGRATION ET JUDÉOPHOBIE

La figure de Bernard Lazare

Après avoir terminé ma thèse de doctorat consacrée à Georges Sorel, le philosophe sulfureux, je m'intéressai à l'un de ses amis, qui mérite d'être considéré comme l'une des plus curieuses figures intellectuelles au tournant des XIXe et XXe siècles. Avec une rare bravoure, et en opposition à tout son entourage, Bernard Lazare fut en effet le premier à se mobiliser pour prouver l'innocence d'Alfred Dreyfus. Son combat et son esprit non-conformiste le firent devenir juif et le proclamer fièrement, voire par défi. Se définir ainsi était, à l'époque, rien moins qu'admis et populaire parmi les milieux « israélites », en Europe occidentale et centrale[1].

Bien qu'il n'ait pas fait de la Palestine le pays de ses rêves, Bernard Lazare peut être considéré comme le premier sioniste français pour avoir

---

1. À partir du XIXe siècle, diverses institutions et milieux juifs en Europe occidentale et centrale préférèrent recourir à l'appellation « israélite » à cause de la connotation négative du terme « juif » dans la longue tradition chrétienne.

formulé l'exigence d'un droit à l'autodétermination nationale des juifs. Il démissionna du mouvement sioniste après que Theodor Herzl et ses partisans, pour promouvoir leurs idées, eurent refusé de dénoncer la répression des Arméniens menée par le sultan ottoman et eurent jugé prioritaire de créer une banque pour financer la colonisation en terre sainte. Il poursuivit cependant son combat en soutenant les juifs victimes d'oppression en Roumanie, auquel il consacra l'essentiel de ses maigres forces et ressources avant de mourir en 1903.

On sait moins en revanche qu'à l'orée de sa carrière, au début des années 1890, le poète symboliste et publiciste anarchiste Bernard Lazare fut « partiellement » antisémite. « Partiellement », en effet, car il avait l'habitude d'accabler non pas tous les juifs, mais uniquement les juifs « orientaux ». Dans des articles incisifs, il invitait à ne pas assimiler les Israélites portugais et espagnols (les « Séfarades »), élégants et raffinés dans lesquels il se reconnaissait, avec les épigones juifs des tribus de Huns, sales et laids, qui arrivaient à flot continu en provenance de l'Empire russe. Conformément à la mode de l'époque, Bernard Lazare était persuadé qu'il s'agissait là d'une race distincte, d'origine totalement différente de celle des juifs d'Europe occidentale. Il était également d'avis qu'il fallait à tout prix empêcher leur immigration en France et dans les pays voisins.

Un tel point de vue de la part d'un intellectuel français, pour radical qu'il fût, n'avait rien d'exceptionnel et traduisait à peu de chose près la vision des « Gallo-catholiques », des « Anglo-Saxons », des « Germano-Aryens » et de bien d'autres encore sur les menaces que l'immigration faisait peser sur les cultures « autochtones » en Occident. Les communautés israélites cultivées à Paris, Londres ou Berlin ne pensaient pas différemment.

Les juifs d'Europe centrale à la fin du XIXᵉ siècle

À la fin du XIXᵉ siècle, environ 80 % des juifs du monde et leurs descendants laïcs, soit plus de 7 millions de personnes, vivaient dans l'Empire russe, dans la Galicie austro-hongroise et en Roumanie (une fraction non négligeable des juifs allemands était aussi issue d'Europe de l'Est). La majorité des historiens du judaïsme, sionistes ou non, a jusqu'à la fin des années 1960 émis l'hypothèse selon laquelle seule l'existence de l'ancien empire khazar-juif, dans les steppes de la Russie méridionale, de l'Ukraine orientale et du Caucase, a pu engendrer un phénomène démographique aussi surprenant : le plus significatif, peut-être, de l'histoire juive moderne. L'affaiblissement puis le démembrement de ce royaume médiéval, du Xᵉ au XIIᵉ siècle, ont entraîné la migration des juifs vers l'ouest, vers les territoires appelés à devenir ceux de l'Ukraine occidentale, de la Lituanie, de la Pologne, de la Biélorussie, de la Galicie, de la Hongrie et de la Roumanie. (Au milieu du XVIIIᵉ siècle, peu de temps avant le grand choc démographique qui a touché toute la population européenne, on comptait plus de 750 000 juifs dans la seule

Union Pologne-Lituanie, alors qu'ils n'étaient que 150 000 à l'ouest du continent.)

À la différence d'autres communautés juives dans le monde, la population juive d'Europe de l'Est avait conservé des modes de vie et de culture absolument distincts de ceux de leurs voisins. En Gaule, en Italie, en Allemagne occidentale, dans la presqu'île ibérique, en Afrique du Nord, dans le nord du Croissant fertile, les juifs, qu'ils soient autochtones convertis ou immigrés, partageaient avec leurs voisins le langage et les modes de vie quotidiens ; les lieux de résidence ont presque toujours été communs, tandis qu'en Europe orientale l'évolution socioculturelle fut différente.

Les juifs d'Europe de l'Est ont été regroupés durant des siècles dans des bourgades ou des localités séparées, dans lesquelles ils étaient majoritaires ou représentaient une minorité importante. Le *shtetl* juif, localité mi-rurale et mi-urbaine, a constitué le berceau principal de la vaste population yiddish. Avec les débuts de l'urbanisation, ils ont conservé leurs spécificités culturelles, non seulement dans la pratique du culte à l'instar du reste des juifs dans le monde, mais aussi dans le style de vie quotidienne plus « laïcisée ». Ils mangeaient de la nourriture cachère et développaient aussi des modes culinaires différents de ceux du voisinage. Ils portaient une kippa mais aussi des chapeaux de fourrure, et étaient vêtus de façon reconnaissable et distincte de la masse des paysans d'alentour. Ils ne parlaient guère la langue de leurs voisins, mais pour leurs activités professionnelles et leurs fonctions d'intermédiaires, ils préféraient recourir à des dialectes germaniques répandus dans les cercles économiques en provenance de l'ouest. L'arrivée d'érudits rabbiniques de l'espace linguistique allemand a également influé sur la formation d'idiomes yiddish spécifiques, de tonalité plus slave à l'est et plus germanique à l'ouest.

Soulignons aussi qu'à la différence des petites communautés juives d'Europe occidentale ou du monde islamique qui avaient adopté des coutumes religieuses souples et relativement symbiotiques vis-à-vis de leurs voisins non juifs, les gens du peuple yiddish, en Europe de l'Est, durcissaient leurs pratiques cultuelles, marquant ainsi leur différence par rapport à leur environnement non juif. Cette forme d'intégrisme religieux s'apparentait aux courants les plus rigides de l'orthodoxie chrétienne (on relève une certaine proximité entre le mysticisme hassidique et la mystique populaire chrétienne dans ces régions). La modernisation et la laïcisation ont eu pour effet d'amener une frange des héritiers laïcs de ces familles juives intransigeantes à exprimer leur hostilité aux traditions religieuses : nombreux furent ceux et celles qui devinrent des socialistes athées (socialistes révolutionnaires, mencheviks, bolcheviks, bundistes, anarchistes, etc.). La riposte des instances religieuses fut du même acabit, récusant toute espèce de relations avec la masse des apostats.

L'Empire russe, tout comme son homologue austro-hongrois, était bien trop vaste et arriéré pour servir de tremplin étatique à la naissance d'une nationalité unitaire et rassembleuse, sur une base civile, selon le processus engagé antérieurement dans les grands royaumes d'Europe occidentale. Le nationalisme panslaviste a surtout servi d'instrument de manipulation et d'oppression, entre les mains du pouvoir tsariste. C'est pourquoi sont apparus, sous le panslavisme et contre lui, des constituants nationaux locaux et morcelés, fondés sur une pluralité de langues et de religions. C'est ainsi que naquirent les Polonais, les Ukrainiens, les Lettons, les Lituaniens, etc. Des heurts intolérables et dangereux se produisirent dans presque toutes les régions où vivaient des populations mélangées, parlant des dialectes différents. Mais c'est la présence de la population yiddish dans ces zones qui a eu pour effet d'élever au maximum le seuil d'intolérance moderne, si caractéristique de tous les courants nationalistes ethnocentriques. La vague de pogroms qui débuta dans les années 1880, en même temps que les restrictions imposées par le pouvoir tsariste, et, en particulier, les conditions de vie insupportables dans la zone de résidence chassèrent les communautés juives ; ainsi enfla le flot d'immigration qui s'est déversé dans les quartiers de Vienne, de Berlin, de Paris, de Londres, de New York et de Buenos Aires.

Les estimations divergent quant à l'ampleur de cette émigration. Quoi qu'il en soit, environ trois millions de personnes ont été déracinées et jetées sur les routes jusqu'au début de la Seconde Guerre mondiale. Cette grande masse s'est rapidement déplacée vers l'ouest, ce qui, comme on l'a vu, suscita de fortes réactions d'hostilité et de peur parmi les non-juifs, mais aussi de la part des institutions juives européennes. Ces immigrés rebelles, bizarrement vêtus, avec leurs coutumes particulières et leur langue spécifique, se sont concentrés dans les capitales d'Europe centrale et occidentale, avant finalement de rallier pour une partie d'entre eux les Amériques, du Nord et du Sud.

La montée de la judéophobie, en relation avec cette immigration, n'a guère fait l'objet jusqu'à présent d'une recherche approfondie à l'échelle de l'Europe. Toutefois, les investigations pour rendre intelligible la longue et douloureuse expérience qui a conduit au génocide nazi nécessitent de décrypter des courants judéophobes ethnocentristes répandus dans tout le continent et d'analyser la spécificité du nationalisme allemand. Il ne suffit pas de connaître l'appareil de l'État nazi, ni de décoder les voies par lesquelles la violence systémique de la Première Guerre mondiale a rendu possible le crime industrialisé de la Seconde ; il faut encore analyser la montée des seuils de sensibilité et d'hostilité résultant de ce grand basculement de populations.

Les pogroms et le déracinement furent le premier coup asséné au peuple yiddish qui avait commencé à s'unifier, lors du processus de modernisation de la fin du XIXᵉ siècle. La deuxième secousse vint de la révolution bolchevique qui, par des mesures administratives, a tenté d'étouffer les diverses expressions de cette culture particulière. Le troisième coup, fatal celui-là, fut donné par les nazis qui perpétrèrent l'extermination physique de la majorité du peuple demeurée en Europe.

Le sionisme qui à l'instar du bolchevisme s'est employé à effacer la langue et les pratiques culturelles yiddish a administré le quatrième coup. Il ne s'agit pas, évidemment, de mettre tous ces coups sur un même plan, ni par leurs motivations, ni par leurs résultats, et encore moins par leur qualification morale.

VI

D'UN ORIENTAL À L'AUTRE

Le yiddish et l'hébreu

En 1971, je réussis à me faire accepter comme étudiant titulaire à l'université de Tel-Aviv. Mes connaissances en anglais étant insuffisantes, je fus obligé de suivre une session de perfectionnement. Au premier cours, alors que j'étais encore angoissé par l'idée de l'échec, le professeur demanda à chaque étudiant d'indiquer sur une feuille les langues qu'il maîtrisait, en plus de l'hébreu. Au début du cours suivant, il interrogea : « Qui est Shlomo Sand ? » Je levai le doigt, craignant de voir se répéter le cauchemar que j'avais connu au lycée avant d'en être expulsé. Mais il en alla différemment : « Sand est le seul à avoir mentionné le yiddish ; qui d'autre parle yiddish dans cette classe ? » Neuf bras se levèrent. Ainsi, au début des années 1970, nombreux étaient encore ceux qui n'osaient pas avouer qu'ils parlaient la langue misérable de l'« exil ». À vrai dire, ayant eu moi-même un peu honte, j'avais passablement hésité avant de citer le yiddish comme seconde langue.

En fait, elle n'était pas la seconde. Le yiddish avait été ma langue maternelle ; c'est en yiddish que j'ai communiqué avec mes parents dès que sont sorties de ma bouche mes premières expressions. Avec le décès de mes parents et de leurs proches s'est épuisé le reliquat de mes interlocuteurs yiddish, et ainsi la langue de mon enfance s'est enfouie dans les recoins de mon subconscient où, probablement, elle a commencé à se désintégrer. C'est à Paris, en rencontrant des anciens bundistes et communistes, que j'ai mieux connu les derniers survivants du peuple yiddish et, plus encore, lors de mon premier séjour à New York, en 1998. Ce fut pour moi la dernière occasion de pratiquer la langue des vieux immigrés d'Europe de l'Est : en Israël la plupart d'entre eux s'abstenaient de parler yiddish dans les lieux publics (à l'exception des cours hassidiques que je n'ai jamais fréquentés).

C'est aussi après ce séjour aux États-Unis que j'ai compris pourquoi les Américains assimilent et confondent l'identité yiddish et une identité juive imaginaire générale. Ils ne parviennent pas à distinguer entre d'une part une culture populaire, qui a prospéré au sein d'une population importante dans un territoire vaste mais limité, et d'autre part une culture religieuse répandue sur tous les continents, sous des formes variées. On appelle ainsi « humour juif » l'humour slave-yiddish (pour reprendre une expression de Romain Gary) qui nourrit encore les blagues new-yorkaises et les films de Woody Allen. Cet humour particulier a inspiré tout à la fois Nicolas Gogol et Cholom Aleikhem, mais les Rothschild et les merveilleux écrivains judéo-irakiens ne l'ont jamais partagé. Pour rire et faire rire, ces derniers ont utilisé d'autres ressorts comiques. L'humour israélien d'aujourd'hui est totalement différent. S'il est une expression culturelle qui découle directement de la géographie, autrement dit des modes de vie quotidiens et non pas d'une tradition écrite supérieure, c'est bien l'humour (avec les insultes et les jurons).

Une langue morte et une langue fabriquée

La riche culture yiddish est maintenant éteinte. Certes, quelques étudiants suivent des cours d'apprentissage de la langue des juifs d'Europe de l'Est, mais ils ne communiquent ni ne créent dans cette langue. L'étude et le rapport à la culture yiddish peuvent réchauffer le cœur des adeptes de la nostalgie, mais ne peuvent créer des personnages et des situations comme ceux que l'on rencontre dans les monuments littéraires qu'ont légués, entre autres, Cholom Aleikhem ou Isaac Bashevis Singer (et ce n'est certainement pas un hasard si ces deux géants de la littérature yiddish ont fini leur vie en Amérique du Nord et non pas au Moyen-Orient). De même s'est évanoui sans espoir de retour le beau rêve des gens du Bund, le grand parti social-démocrate juif de l'Empire russe, puis de Pologne, qui, contrairement au sionisme, était fondé sur une culture populaire vivante, et n'avait donc nullement besoin d'un costume d'apparat religieux pour se constituer une identité semi-nationale.

On estime à plus de dix millions le nombre de personnes qui, jusqu'à la Seconde Guerre mondiale, s'exprimaient dans les divers dialectes du yiddish ; au début du XXIe siècle, on n'en compte plus que quelques centaines de milliers : principalement des *Haredim* (« craignant Dieu » : religieux de stricte observance). Une culture populaire a entièrement disparu ; elle a été anéantie, et tout espoir de la ressusciter est vain, car il est impossible de faire revivre une culture ou une langue. La prétention du sionisme à ressusciter l'hébreu antique et la culture du « peuple biblique » relève de la quête mythique de références nationales inculquées à des générations d'Israéliens et de sionistes, dans le monde.

Si parmi les premiers théoriciens de l'idée sioniste plusieurs étaient de culture allemande, les fondateurs de l'entreprise de colonisation avaient baigné pour la plupart dans la culture yiddish d'Europe de l'Est ; leur langue maternelle était ce « jargon mineur » tant brocardé par les Allemands israélites, c'est-à-dire par les ashkénazes. Les colons yiddishophones abandonnèrent très vite leur langue maternelle méprisée. Tout d'abord, il leur fallait une langue à même d'unir les juifs du monde entier, or ni Theodor Herzl ni Edmond de Rothschild ne pouvaient communiquer en yiddish. Ensuite, les pionniers sionistes aspiraient à créer un juif *nouveau* qui rompît avec l'univers culturel populaire de leurs parents et de leurs aïeux, et avec les misérables bourgades de la zone de résidence.

À partir de tentatives effectuées précédemment dans l'Empire russe visant à adapter dans un langage moderne des textes de la Bible et des prières, des linguistes sionistes entreprirent de donner naissance à une nouvelle langue dont le lexique principal fut certes puisé dans les livres de la Bible, mais dont l'écriture était araméenne et assyrienne (c'est-à-dire issue de la Mishna, et non pas hébraïque), avec une syntaxe à dominante yiddish et slave (et nullement biblique). Cette langue est improprement appelée aujourd'hui l'« hébreu » (je suis moi-même contraint de recourir à cette appellation, par défaut), et il serait plus pertinent, à la suite de linguistes avant-gardistes, de la nommer l'« israélien ».

Cette langue s'est développée bien avant la création de l'État d'Israël pour devenir assez vite celle que la communauté sioniste s'implantant en Palestine utilisait régulièrement. Elle devint la langue parlée et écrite des enfants de ces pionniers, appelés à constituer par la suite l'élite culturelle, militaire et politique de l'Israël des débuts. Ces *sabras* exprimaient un rejet ferme et vigoureux de la culture yiddish, vivement encouragés en cela par les dirigeants de la communauté d'immigrants. David Ben Gourion avait interdit l'usage de la langue des juifs d'Europe de l'Est dans les congrès de son parti socialiste ; une séance est passée à la postérité : une ancienne combattante des « partisans » de Wilno, évoquant en 1944, lors d'une assemblée du syndicat des travailleurs hébreux, l'extermination dans sa patrie, fut interrompue dans son discours par le dirigeant fondateur, monté à la tribune pour condamner cet usage d'une langue « étrangère et criarde ».

L'Université hébraïque de Jérusalem, fondée en 1925, ne disposait pas d'une chaire d'enseignement du yiddish, et les étudiants désireux d'acquérir cette culture détruite durent patienter jusqu'à 1951. En 1949, juste après la création de l'État d'Israël, vu l'afflux massif de survivants yiddishophones du génocide, une loi fut votée interdisant aux citoyens israéliens de monter des spectacles dans la langue des immigrants (seuls les artistes étrangers, invités, avaient le droit de se produire dans la langue de l'« exil », mais pour des périodes n'excédant pas six semaines). Il fallut attendre le début des années 1970, une fois assurée la pleine victoire de la nouvelle culture autochtone en Israël, pour voir s'assouplir la position envers cette vieille langue méprisée.

Ce rapport de discrédit et d'arrogance envers le yiddish touchait aussi la culture et la langue d'autres communautés d'immigrés. Bien que dans la vision utopique de Theodor Herzl les habitants de l'« État des juifs » fussent censés parler sa langue, l'allemand, les colons sionistes qui auparavant s'exprimaient en yiddish ne virent pas d'un très bon œil ces réfugiés d'Allemagne arrivant avec l'avènement du nazisme et la fermeture des frontières des États-Unis. En effet, ils étaient souvent perçus comme des « juifs assimilés » essayant d'importer à tout prix leur culture allemande au pays de la Bible, ce qui n'était pas totalement faux ! Le mépris ancien des « ashkénazes » (selon l'appellation des juifs raffinés d'Allemagne) envers les « *Ostjuden* » (ainsi étaient péjorativement désignés les juifs d'Europe orientale) a connu, dans l'entreprise sioniste, un complet renversement historique : les descendants des « Orientaux » devenaient désormais l'élite politique dominante, affichant leur dédain envers les « yékés » (« Allemands »).

Les ex-yiddishophones adoptèrent volontiers le prestigieux terme d'« ashkénaze » (tout comme dans l'Antiquité les rédacteurs judéens de la Bible s'étaient approprié « Israël », le nom prestigieux du royaume au nord de Canaan, pour désigner ainsi « le peuple sacré »). Ce faisant, ils tissaient un mythe selon lequel leur origine historique remontait à l'Allemagne civilisée, et non pas à l'Est considéré comme arriéré ; dans le jeune État d'Israël, le rôle de l'« Oriental » inférieur sera dévolu à une autre population, nouvellement et majoritairement immigrée, en provenance de l'Ouest (en l'occurrence, du Maghreb).

« Le Juif marocain a pris beaucoup de l'Arabe marocain. »

Après la guerre de 1948 et la création d'une souveraineté sioniste, une grande masse d'immigrés démunis est arrivée des pays arabes et musulmans qu'elle avait été contrainte de quitter. La guerre en Palestine avait été le détonateur immédiat de cet exode. En effet, l'incapacité du nationalisme anticolonialiste, dans le monde arabe, à séparer communauté religieuse et État laïc, a engendré suspicion et craintes, contribuant par là même à ces déracinements et abandons. Ce fut, dans une large mesure, une émigration tragique et pénible : venant des pays du Maghreb arrivèrent en Israël des populations issues des couches sociales pauvres, tandis que la majorité des couches moyennes et supérieures trouvaient refuge en Europe et en Amérique du Nord[1]. D'Irak, en revanche, est arrivé un groupe de composition socio-culturelle plus hétérogène qui a également subi discrimination et humiliations, malgré la présence en son sein d'une classe moyenne et de nombreux érudits.

Les premiers colons sionistes, de la fin du XIXe et des débuts du XXe siècle, avaient montré une certaine empathie romantique pour le folklore moyen-oriental, mais très vite un mur de fer s'était dressé, derrière lequel la communauté sioniste se retranchait pour éviter tout amalgame avec la civilisation arabe. Les relations avec la culture indigène ont, en fin de compte, suivi les tendances de l'orientalisme occidental, en vogue à l'ère du colonialisme. En son temps déjà, Theodor Herzl voyait le futur État des juifs face à l'Asie comme la « sentinelle avancée de la civilisation contre la barbarie » – vision idéologique qui sera partagée peu ou prou par tous les dirigeants de l'entreprise sioniste. De là viennent leur aveuglement et leur dureté envers les villageois indigènes résidant sur ces terres depuis plusieurs siècles. Comme l'on sait, une grande partie des Arabes de Palestine a été contrainte à l'exode durant la guerre de 1948. Ceux qui sont demeurés sur place, après la création de l'État, ont été enfermés pendant dix-sept ans dans

1. En Algérie, les juifs étaient des citoyens français, aussi, lors de l'indépendance en 1962, très peu émigrèrent en Israël.

un régime d'administration militaire, où ils étaient considérés comme la frange inférieure et reléguée de la nouvelle société.

Les immigrés judéo-arabes étant de langue et de culture quotidienne arabes (minoritairement berbères et persanes), les autorités israéliennes nouèrent avec eux une relation oscillant entre mépris profond et suspicion manifeste. David Ben Gourion alla même jusqu'à laisser échapper qu'il ne voulait pas d'une culture marocaine en Israël, et que malheureusement : « Le Juif marocain a pris beaucoup de l'Arabe marocain. » Les immigrés « orientaux » furent en majorité installés à la périphérie de l'État et n'eurent droit qu'à la portion congrue dans la distribution du butin territorial conquis en 1949. Beaucoup d'immigrés d'Europe de l'Est, ex-yiddishophones, les considéraient à peine comme juifs, et parfois pas du tout !

L'ironie du sort faisait que ces juifs-arabes étaient en réalité restés plus juifs que les autres groupes d'immigrés venus dans le jeune État. La plupart des ressortissants du peuple yiddish étaient relativement plus laïcs ; pour consolider leur identité spécifique, ils recoururent plus ou moins consciemment à un mélange de judéité traditionnelle et de modes de vie yiddish laïcs qui, dans le passé, les avait différenciés de leur entourage « non juif ». En revanche, les seules marques de judéité des immigrants judéo-arabes touchaient aux pratiques religieuses. Tout ce qui dans leur mode de vie ressortissait au laïc et au quotidien était arabe et de ce fait mal perçu voire rejeté par la culture israélienne en cours de constitution[1]. Aussi, afin de ne pas passer pour arabe dans l'« État juif », il fallait préserver et extérioriser au maximum les traditions du culte et les cérémoniaux religieux.

Ce refoulement – la dissimulation et la négation en soi de toute arabité – a grandement facilité la répression des signes extérieurs. Alors même que l'entreprise sioniste à la base était laïque, la situation de schizophrénie culturelle des Arabes juifs a bien contribué à ralentir leur laïcisation. Elle a aussi eu pour effet d'orienter nombre d'entre eux vers des positions anti-arabes, et, de ce fait, de les amener à plébisciter la droite sioniste, traditionnellement plus dure dans son hostilité à l'égard des autochtones.

Le séparatisme culturel, en tant que phénomène central dans la politique identitaire des groupes sociaux, est une expression bien connue de la sociologie moderne, que Pierre Bourdieu a parfaitement analysée. La distance prise par les Arabes juifs et leur descendance vis-à-vis de leur culture d'origine n'a pas été spécifique à Israël. Un phénomène semblable, par-delà les différences, s'est produit parmi les Maghrébins d'origine juive qui ont émigré en France ou au Canada. Le désir de ne pas être identifié comme arabe a ancré chez bon nombre d'entre eux de fortes tendances politiques

---

1. Ironie supplémentaire de l'histoire : Maïmonide, tout comme d'autres littérateurs juifs du Moyen Âge, écrivait majoritairement en arabe.

anti-orientales qui se sont répercutées sur les deuxième et troisième générations.

L'israélisation rapide a certes brouillé une part notable des différences culturelles importées mais, en retour, elle a aussi conforté nombre de hiérarchies établies lors de la création de l'État.

VII

CHARIOT VIDE ET CHARIOT PLEIN

Dialogue de sourds

En 1952, le Premier ministre israélien David Ben Gourion rencontra le rabbin Avrohom Yeshaya Karelitz, connu sous le nom de *Hazon Ish* (« homme de vision »). Cette rencontre historique est restée gravée dans les annales israéliennes pour l'amical dialogue de sourds qui s'est instauré entre les deux hommes. Le dirigeant de l'« État des juifs » demanda au chef des orthodoxes « craignant Dieu » comment religieux et laïcs cohabiteraient sans heurt dans la nouvelle souveraineté. Le rabbin plein de sagesse, qui n'était pas sioniste et ne considérait aucunement Israël comme un État juif, prit pour exemple le chameau dans le traité du Sanhédrin du Talmud de Babylone et répondit qu'en toute logique, dans un défilé étroit, le chariot vide doit céder le passage au chariot plein : le sionisme laïc est une culture creuse, tandis que le judaïsme est lourdement chargé. Ben Gourion se fâcha et demanda si les commandements de colonisation du pays, de travail de la terre et de protection des frontières ne constituaient pas, aux yeux du rabbin, une mission de la culture juive. Il ajouta que les laïcs, représentant la majorité, ont la maîtrise de l'État. Le rabbin répondit que pour ceux qui étaient prêts à donner leur vie pour les commandements divins, l'opinion de la majorité et les actes du souverain étaient sans intérêt.

Avec le recul du temps, nul doute que *Hazon Ish* ait eu raison. Face au chariot plein de la religion juive, celui du judaïsme laïc était vide, et il l'est resté. Plus on creuse la question, plus on reconnaît qu'il n'existe pas de bagage culturel juif autre que religieux. C'est une des contradictions profondes du sionisme, et la raison de son obséquiosité historique constante vis-à-vis de l'univers de la tradition.

En 1952, le subtil rabbin ne pouvait pas encore percevoir que l'entreprise sioniste était en train de créer un chariot de culture israélienne spécifique dont le sionisme lui-même a du mal à reconnaître l'existence. Au mépris de la logique, celui-ci s'obstine en effet à la nommer « culture juive laïque », tout en sachant bien qu'elle n'est nullement partagée par les juifs dans le monde. Il ne fait au contraire aucun doute que de nombreux croyants partagent la culture juive de *Hazon Ish*.

Le chariot sioniste

Les fondements de la création de l'État d'Israël ont été posés pour l'essentiel par des socialistes nationaux d'Europe de l'Est. Laïcs, ils s'étaient rebellés contre le judaïsme mais avaient dû néanmoins adopter d'emblée des marqueurs centraux de la tradition religieuse, dont l'éthique communautaire juive qui lui est intrinsèque. Ces marqueurs étaient admis par tous les courants du sionisme, de gauche comme de droite. Les causes complexes de ce phénomène idéologique et mental sont ancrées dans les caractéristiques et les finalités du sionisme, de la fin du XIXe siècle à nos jours.

Pour justifier la colonisation en Palestine, le sionisme a invoqué la Bible, présentée comme un titre de propriété juridique sur la terre. Il a ensuite dessiné le passé des multiples communautés juives, non pas comme des fresques de groupes convertis au judaïsme en Asie, en Europe et en Afrique, mais comme l'histoire linéaire d'un peuple-race, prétendument exilé par la force de sa terre natale et qui, durant deux mille ans, a aspiré à y revenir. Le sionisme laïc a profondément intériorisé le mythe religieux de la descendance d'Abraham et la légende chrétienne du peuple maudit et errant, que ses péchés ont conduit à l'exil. À partir de ces deux matrices, il est parvenu à façonner l'image d'une ethnie dont le caractère manifestement fictif (il suffit pour s'en convaincre d'observer la diversité d'apparence des Israéliens) n'a nullement entravé l'efficacité.

En même temps, et sans s'embarrasser de la contradiction, l'entreprise sioniste a voulu créer une culture en rupture complète avec le passé de l'« exil ». Dès les années 1940, une forme d'élitisme israélien spécifique a prospéré dans le *yéchouv* (l'ensemble de l'implantation sioniste) et s'est renforcée jusqu'à devenir hégémonique dans les décennies 1950-1960. Il fallait alors être israélien, ou plus exactement hébreu, tandis que la vieille tradition juive faisait l'objet d'un mépris exprimé à demi-mot et non dénué d'hypocrisie.

Un exemple parmi d'autres : la propension à remplacer les noms « juifs exiliques » par des dénominations hébraïques a fait florès parmi les élites culturelles et la jeunesse des bons milieux. L'« hébraïsation » ne s'appliquait pas aux seuls noms patronymiques, des parents feuilletaient fébrilement la Bible pour y trouver des prénoms rares et vigoureux qui se différencient des prénoms juifs jugés désuets, tels Moshé, Yaakov, David ou Shlomo. Les noms « bizarres » des rabbins talmudiques de l'Antiquité étaient aussi vivement récusés : ils « sentaient » trop l'école talmudique, la *yéshiva*, et le *shtetl*.

Les noms cananéens, qui n'avaient jamais été affiliés à la tradition juive, jouissaient d'un attrait particulier. C'est ainsi que tous les dirigeants d'Israël, et avant eux leurs parents pionniers, ont abandonné les patronymes que les juifs avaient adoptés depuis les premiers recensements modernes de population : David Grün est passé à la postérité comme Ben Gourion, Szymon Perski s'est fait connaître en Shimon Peres, Yitzhak Rabin est né Rubitzov, Ehoud Barak avait été Brog, Ariel Scheinermann est devenu Sharon, le père de Benjamin Netanyahou est né Mileikowsky et Shaoul Mofaz, lorsqu'il était enfant, s'appelait Shahram Mofazzakar. Les anciens patronymes évoquaient les juifs faibles, conduits au massacre et dans les camps comme du bétail, ou encore ceux qui imitaient servilement la civilisation musulmane. En Israël il convenait de créer un homme nouveau, un Hébreu musclé et plein de vigueur, au physique comme au spirituel.

Dans une large mesure, l'« identité hébraïque », forgée avant même la création de l'État, servit aussi de différenciation culturelle d'avec la masse des immigrés qui, en Israël, constituaient les classes populaires inférieures. L'« hébraïté » était principalement une pratique caractéristique des élites culturelles, politiques et militaires ; c'est elle qui donnait le ton dans l'arène publique, alors qu'en ces mêmes années, les citoyens d'Israël n'étaient pas tellement israéliens ; la plupart, d'extraction yiddish ou maghrébine, parlaient difficilement l'hébreu moderne, et la nouvelle culture était hors de leur portée. Une partie d'entre eux s'était laïcisée en Europe, mais des restes de culture et de tradition juive, yiddish et arabe leur permettaient de supporter leurs difficiles conditions de vie d'immigrés.

L'appareil éducatif et l'appareil militaire

Pendant ce temps, les élites poursuivaient énergiquement la production et la diffusion d'une culture nouvelle ayant conquis son hégémonie, comme on l'a vu précédemment, dans le rapport de forces politique et intellectuel. Elles disposaient de deux leviers conjoints, à une époque où la télévision n'existait pas encore : le système d'éducation et l'appareil militaire (et, dans une moindre mesure, la presse écrite). Dans toutes les écoles, les maîtres apprenaient à leurs élèves à parler et lire l'hébreu, et leur enseignaient la Bible comme un livre d'histoire héroïque et laïque. Dès avant la création de l'État, la formule « de la Bible au Palmakh[1] » était répandue. Autrement dit, importaient véritablement en histoire la souveraineté hébraïque imaginaire de l'Antiquité et la souveraineté israélienne réelle contemporaine. L'héroïsme antique et l'audace contemporaine, telles étaient les marques d'identité du *sabra* viril. Le judaïsme malingre, resté passif au « milieu » du déroulement historique, était perçu comme une étroite passerelle branlante vers la renaissance nationale.

Le service militaire obligatoire a été tout aussi important. Parallèlement à l'enseignement, il a constitué un puissant creuset, créateur d'identité et de cultures originales. Le contact le plus intense des élites avec la masse des immigrés s'est produit par le biais de cet appareil hiérarchique. Celui qui avant d'être enrôlé dans l'armée parlait avec ses parents une langue étrangère méprisée (le yiddish ou l'arabe), se voyait reconnu, après deux ou trois ans passés dans Tsahal, non seulement comme un bon soldat, mais aussi comme bien plus israélien. Il commençait alors à apprendre à ses parents la langue de l'État, et par là même à leur instiller de la honte envers leur ancienne culture, dépourvue de vigueur militaire et de majesté nationale. La situation de forteresse assiégée dans laquelle s'est

---

1. Acronyme de *Plougot makhatz* : « troupes de choc, ou compagnies de choc », organisation paramilitaire, avant la création de l'État d'Israël et de « Tsahal – armée de défense d'Israël ».

trouvé Israël, et ses victoires remportées dans les guerres de 1948, 1956 et 1967 ont ajouté de la splendeur à l'israélité et sanctifié le culte de la force en même temps que le pouvoir des élites anciennes.

La culture israélienne s'est solidifiée avec une rapidité qui mérite d'être soulignée. Alors que dans d'autres États, la culture nationale a été façonnée au terme d'un processus relativement long, en Israël, du fait de sa nature intégrale de société d'immigration, une langue et une culture entièrement nouvelles ont été instaurées et transmises en deux générations. Toute la population n'a, certes, pas reçu cette transmission à part égale ; des sous-cultures ont subsisté et perdurent encore aujourd'hui, mais les réussites de l'entreprise sioniste dans le champ culturel, à l'instar des réalisations dans les domaines agricoles et militaires, ne connaissaient pas de précédent.

Une culture, une patrie

La littérature, la poésie, le théâtre et enfin le cinéma ont fait éclore des créations originales et de grande valeur. Le rejet et la dérision affichés à l'égard des traditions culturelles antérieures n'ont pas empêché l'israélité d'intérioriser, en secret, une part non négligeable de leur transmission. De nouvelles tonalités musicales, s'éloignant du chant yiddish et des mélodies arabes, ont jeté leur dévolu sur des airs russes qui ont fait vibrer les cœurs des jeunes *sabras*. Dans toutes les rencontres publiques, chanter en groupe a dans une large mesure remplacé l'ancienne prière. Les Israéliens en leur temps, avant l'ère de la globalisation, ont adopté des habitudes vestimentaires totalement différentes de celles des juifs d'Europe de l'Est ou d'Afrique du Nord. Ils ont adapté leurs tenues au climat local, en un sens étonnamment semblable au costume colonial type répandu dans l'ensemble de l'Empire britannique, à l'exception du chapeau, le *kova tembel*, caractéristique du colon *sabra*. Dans la culture quotidienne des années 1970, l'hébreu israélien, avec toutes ses variantes de prononciation, était devenue la langue commune ; les habitudes culinaires, dont beaucoup ont été empruntées aux Palestiniens, s'étaient homogénéisées, et à première vue l'entreprise culturelle nationale paraissait avoir abouti.

Le sionisme est parvenu à façonner un nouveau peuple doté en propre d'une langue nouvelle, qui s'est différencié des pratiques juives ancestrales et des conceptions antinationales auxquelles ces dernières se référaient. Ce peuple possédait maintenant une patrie, tout en ne sachant pas précisément quelles en étaient les frontières ; il disposait également d'une culture publique uniforme, même s'il ne mesurait pas toujours à quel point elle n'était pas juive.

Les victoires remportées par la culture israélienne et la langue hébraïque s'accompagnèrent à partir du milieu des années 1970 d'une sorte d'assouplissement et de détente. Les divers composants culturels du passé yiddish ou arabe cessèrent de représenter une menace contre les dispositifs de pouvoir nationaux, pour être bientôt perçus comme des expressions folkloriques inoffensives, acceptables, et pouvant même être cajolées... avec prudence. La nostalgie de la *yiddishkeit* devint populaire et légitime ; les mélodies arabes furent de plus en plus recyclées dans la musique israélienne en refrains orientaux ou méditerranéens.

Même le génocide des juifs d'Europe, soumis et faibles (pendant un temps, ils ont été affublés, en Israël, de l'appellation de « savons » ou encore de « bétail pour le massacre »), qui était classé en bas de la hiérarchie de la mémoire nationale, en a été extrait après la grandiose victoire de 1967, pour être installé à une nouvelle place d'honneur. Les motifs de ce changement dans l'édification du souvenir étaient en l'occurrence plus complexes.

VIII

SE SOUVENIR DE TOUTES LES VICTIMES

Nous, juifs de Pologne

En avril 1944, le poète Julian Tuwim prononça la complainte *Nous, juifs de Pologne...* qui s'ouvrait ainsi : « S'il me fallait ancrer ma nationalité, ou plus exactement mon sentiment national, je dirais que je suis polonais, et ce pour des raisons bien simples, presque primitives, la plupart rationnelles, et pour partie irrationnelles, mais sans ingrédients "mystiques". Être polonais, ce n'est pas un honneur, ni une gloire ni un droit. C'est comme la respiration. Je n'ai encore jamais rencontré d'homme qui s'enorgueillît de respirer. Je suis polonais, car je suis né en Pologne, j'y ai grandi, j'y ai été élevé, j'y ai étudié, parce qu'en Pologne j'ai été heureux et malheureux. Parce que de mon exil, je veux justement retourner en Pologne, même si l'on me promet des plaisirs paradisiaques dans un autre endroit... En réponse à cela, j'entends déjà des voix : "Bien, si tu es polonais, alors pourquoi ce *Nous, juifs* ?" Et j'ai l'honneur de répondre : "À cause du sang. — C'est-à-dire, la doctrine de la race ? — Non, absolument pas. Pas la doctrine de la race, mais précisément son contraire, il y a deux sortes de sang : celui qui est dans les veines, et celui qui s'écoule des veines au-dehors." »

En 1944, Tuwim est devenu juif à cause du sang versé. Avant la Seconde Guerre mondiale, le poète ne reniait pas son origine juive, même s'il préférait se voir en polonais et éprouvait du dégoût pour les racistes sionistes et les judéophobes catholiques qui voulaient nier son identité nationale et l'envoyer en Palestine. Et, bien qu'à la fin de la guerre il ait préféré regagner sa patrie, l'enfer de la mort industrialisée qui avait submergé l'Europe l'amena à se définir comme juif. Il avait une bonne raison : les millions d'hommes assassinés pour leur origine ne pouvaient plus, eux, quitter leur terre ou modifier leur origine. À cause d'Hitler, ils demeureraient juifs pour toujours.

Je me souviens d'avoir lu, tôt dans ma vie, la complainte de Tuwim, qui avait contribué à renforcer ma conscience juive. J'avais aussi choisi, à la même époque, de faire mienne l'affirmation d'Ilya Ehrenbourg, à la fin de la Seconde Guerre mondiale, selon laquelle il resterait juif tant que subsisterait sur la planète le dernier antisémite. Cependant, au fil des ans et de la radicalisation de la politique israélienne, et surtout à la lumière des changements intervenus dans sa politique mémorielle, mon assurance dans la définition de mon identité n'a pas cessé de se fissurer.

Victimes exclusives

Un incident illustre l'apparition de ces déchirures : lorsque j'étais étudiant doctorant à Paris, à l'École des hautes études en sciences sociales (EHESS), on organisa un colloque universitaire, le premier en France, sur le nazisme et l'extermination. Les représentants de la communauté juive, qui participaient à la préparation du colloque et à son financement, s'alarmèrent de l'invitation faite à une conférencière tzigane et s'opposèrent fermement à sa venue. Après de rudes efforts et grâce à l'intervention active de l'historien Pierre Vidal-Naquet, la conférence de la chercheuse « non juive » fut autorisée. Cet incident m'écœura. J'avais d'abord été étonné car, au début des années 1980, je ne connaissais pas encore la revendication intransigeante de l'exclusivité juive sur le crime nazi.

Par la suite, après plusieurs événements de ce type, il m'arriva assez souvent, en diverses circonstances − dîners en ville, cours à l'université, discussions ponctuelles −, de demander : « Combien de personnes les nazis ont-ils assassinées par les camps de concentration et d'extermination, et par les autres massacres non conventionnels qu'ils ont perpétrés ? » La même réponse tombait sans exception : six millions. Lorsque je soulignais que ma question portait sur le nombre de personnes en général, et pas seulement sur le nombre de juifs, mes interlocuteurs marquaient leur surprise, et il était rare que quelqu'un connût la réponse.

Tout spectateur de *Nuit et brouillard*, le moyen-métrage d'Alain Resnais, réalisé dans les années 1950, pourrait répondre : onze millions de morts. Mais ce nombre des victimes « non conventionnelles » est effacé du disque dur de la mémoire collective occidentale. En fait, il y eut peut-être dix millions de victimes (et non pas onze millions), dont cinq millions de juifs (et non pas six millions), comme le laisse supposer Raul Hilberg, chercheur dont l'ouvrage *La Destruction des juifs d'Europe* fait autorité. L'essentiel n'est pas dans ces différences de chiffres ; ce qui importe ici est de savoir pourquoi le nombre « total » a complètement disparu, et comment seul subsiste, et est entretenu, le nombre « juif ».

Le film, au demeurant très réussi, d'Alain Resnais a pour faiblesse de ne mentionner « les juifs » qu'à deux reprises. Le récit se focalise sur l'appareil d'extermination nazi dont les victimes présentées sont principalement des prisonniers politiques, des résistants et des prisonniers de guerre soviétiques. En se fondant sur ce récit, les spectateurs ne peuvent, hélas, rien apprendre sur la nature de la démonisation et de l'obsession nazie à l'encontre du juif imaginaire. Le fait que la moitié des victimes « non conventionnelles » aient été marquées comme « juifs » par les bourreaux revêtait une importance majeure pour comprendre l'entreprise de haine et d'extermination durant la Seconde Guerre. Même si beaucoup de ces victimes « prioritaires » ne se considéraient absolument pas comme juives, mais tenaient à être françaises, hollandaises, polonaises ou allemandes, elles furent conduites au massacre après avoir été identifiées par leurs assassins comme appartenant au peuple-race juif. Les dialogues « policés » apparaissent donc comme une faiblesse centrale du film de Resnais.

Ce défaut du réalisateur est compensé par l'audace dont il a fait preuve en montrant le képi d'un gendarme français dans un camp d'internement : présenter cette réalité inconfortable dans les années 1950, où il y avait encore trop de Français ayant collaboré avec l'occupant nazi, requérait un certain courage intellectuel, que malheureusement la censure ne laissa pas passer.

En 1985, soit trente ans précisément après *Nuit et brouillard*, est sorti le film harassant d'un autre réalisateur français : *Shoah*, de Claude Lanzmann, a vite acquis le statut d'icône de la mémoire du génocide, dans la culture cinématographique de la fin du XXe siècle. Faut-il tenir rigueur au réalisateur d'avoir, en son temps, accepté le soutien direct du gouvernement israélien ? Faut-il par ailleurs ne pas remarquer que les paysans polonais, incultes et miséreux, semblent parfois aussi coupables que les nazis allemands cultivés ? Ces traits d'égalité, de continuité et d'unité tracés entre eux constituent une déformation de l'Histoire.

Dans un film français d'une durée de neuf heures, intitulé *Shoah*, il est, toutefois, bien plus difficile d'excuser que pas un seul train ne soit mentionné provenant de France ! N'est guère évoquée la relative indifférence de la majorité des habitants de la « ville lumière », et, parmi ceux-ci, des intellectuels qui tuaient le temps au café de

Flore ou aux Deux-Magots, pendant que les enfants juifs étaient emmenés au Vélodrome d'Hiver, en juillet 1942. Le film culte français a totalement gommé le rôle historique du régime de Vichy, ce qui a évidemment facilité son érection en lieu de mémoire emblématique, en France et dans le monde occidental. Beaucoup se satisfaisaient de l'idée que l'industrie de la mort était organisée là-bas, dans l'Est lointain, antisémite et gris, parmi les paysans catholiques frustes, et n'avait rien à voir avec la belle Europe, éclairée et raffinée.

De plus, en tant que spectateur israélien de l'œuvre d'un réalisateur qui se définit comme juif, j'ai du mal à accepter que sur toute la durée d'un film sur la mémoire, si attaché au détail, ne soient jamais évoquées d'autres victimes que les juifs dans cette gigantesque industrie de la mort. Ainsi, bien que la majeure partie du film ait été tournée en Pologne, on laisse le spectateur dans l'ignorance que cinq millions de Polonais y ont été assassinés : deux millions et demi d'origine juive, et deux millions et demi de catholiques. Que le camp d'Auschwitz ait été construit, à l'origine, pour des prisonniers polonais non juifs ne méritait pas, non plus, d'être indiqué dans *Shoah*. On ne s'étonnera pas qu'un Président américain, Barack Obama en l'occurrence, l'air satisfait, ait pu parler d'un camp d'extermination polonais.

Bien sûr la quasi-totalité des Polonais juifs a été rayée de la terre de Pologne ; ils ont été incinérés ou y ont été enterrés, alors que la majorité des Polonais catholiques a survécu à la guerre ; il s'agit là d'une différence significative quand on mesure l'écart sinistre entre les morts et les vivants. Mais si l'on évoque les proportions, le nombre de Roms (tziganes) assassinés, sur l'ensemble de leurs communautés, s'avère très proche de celui des victimes juives ; pourtant ils n'ont pas droit à une mention dans la *Shoah* lanzmannienne.

Le réalisateur français ne fut pas, hélas, le seul agent du souvenir à opérer une sélection « ethnique » lorsqu'il s'est agi de construire la mémoire des victimes : quelques-uns l'avaient précédé, beaucoup l'ont suivi. Ainsi Élie Wiesel, lauréat du prix Nobel de la paix pour avoir rendu éternelle l'exclusivité de la mort juive, s'en tient à un silence assourdissant sur la mort des autres.

À compter du dernier quart du XXᵉ siècle, le souvenir de presque toutes les victimes qui n'avaient pas été marquées par les nazis comme « sémites » a disparu. Le crime industriel est devenu une tragédie exclusivement juive. La mémoire occidentale du phénomène concentrationnaire et de l'extermination nazis, s'est peu ou prou vidée des autres victimes : tziganes, résistants et opposants, communistes et socialistes, témoins de Jéhovah, intellectuels polonais, commissaires et officiers soviétiques, etc. À l'exception relative des homosexuels, tous ceux qui ont été exterminés par les nazis, parallèlement à l'assassinat systématique des juifs et de leur descendance, ont aussi été effacés des réseaux hégémoniques de la mémoire. Pourquoi cela s'est-il produit, et comment l'édification de cette nouvelle remémoration a-t-elle influé sur les caractéristiques de l'identité juive actuelle ?

Évolution de la mémoire

À la fin des années 1940 et tout au long des décennies 1950 et 1960, le souvenir honteux de l'extermination des juifs est demeuré en marge de la culture et de la pensée en Occident. En Israël, malgré le procès Eichmann, le génocide ne figurait même pas dans les programmes scolaires jusqu'en 1970. Le sujet demeurait très impopulaire parmi les institutions juives, dans le monde, qui ne l'abordaient que très prudemment. Il y avait à cela plusieurs raisons : je n'en mentionnerai ici, à la hâte, que deux.

La première raison relève des caprices de l'histoire mentale : au lendemain de la guerre, le rescapé des camps n'avait pas une bonne image auprès du grand public. Selon un préjugé cruel de l'époque, si untel avait réussi à sortir vivant de l'enfer, c'était probablement aux dépens d'autres qui avaient été assassinés. Les nazis, avant de réduire les hommes en poussière, s'employaient à faire d'eux des poussières d'hommes ayant perdu tout sens de la solidarité humaine. Cela venait confirmer leur philosophie darwiniste. Dans cette entreprise de déshumanisation, ils excitaient les prisonniers les uns contre les autres, encourageaient les vols, raillaient les atteintes physiques. Les gardes-chiourmes et leurs auxiliaires kapos se délectaient de l'absence de solidarité et de la bestialité générale. De fait, au début des années 1950, des survivants des camps s'accusèrent mutuellement de comportements indignes dans cet univers ignoble. Il était quasi impossible d'interviewer des rescapés et d'obtenir qu'ils fournissent des témoignages vocaux ou visuels sur leurs épreuves ; beaucoup avaient honte d'avoir survécu.

Une seconde raison de ce long silence a trait à la politique internationale : durant la guerre froide, l'Occident s'est fortement mobilisé pour réintégrer l'Allemagne de l'Ouest dans la famille « démocratique » des peuples. Or il s'avérait que les élites du pays, ni socialistes ni communistes, faisaient partie de la génération ayant adulé Hitler, aussi avait-il été jugé préférable d'édulcorer ce passé en en livrant une version maîtrisée et prudente. De nombreux films américains de l'époque ont donné de la Wehrmacht une image blanchie et normalisée, plusieurs livres furent consacrés à la résistance allemande contre les nazis et à la sympathie clandestine dont elle aurait bénéficié. Ceux qui, « de façon irresponsable », osaient enfreindre les règles de ce jeu cynique et sélectif de la mémoire se trouvaient surtout parmi les écrivains et artistes de la gauche politique.

À partir de la fin des années 1960, le rapport à l'horreur absolue a lentement commencé à évoluer. La guerre froide a connu de nouvelles phases et la République fédérale allemande, après avoir versé des sommes d'argent à Israël et indemnisé les rescapés, était désormais bien intégrée dans la culture politique occidentale et dans le dispositif militaire de l'OTAN. Israël était aussi devenu à la même époque un partenaire tout à fait fidèle de l'Alliance atlantique et des États-Unis au Moyen-Orient.

La guerre de 1967 a aussi joué un rôle dans ce tournant. La victoire « éclair » de Tsahal a effacé la « honte » qui avait accompagné les élites israéliennes depuis la création de l'État. Si, jusqu'alors, le « bétail » qui s'était rendu au massacre avait fait figure de contre-modèle à la formation du *sabra* naissant, la stratégie de représentation de la destruction passée allait dorénavant connaître une métamorphose.

Israël est devenu une puissance, petite certes, mais forte cependant, dominant un autre peuple à qui elle impose une occupation militaire prolongée et brutale. La victime juive, hier dissimulée pour sa faiblesse, va se voir magnifiée pour culminer dans le martyre juif. Dans les chroniques, les actes d'héroïsme et de résistance ont été quelque peu minorés pour laisser, dans le massacre historique, la plus grande place aux juifs assassinés, qui eux ne sauraient être mis sur le même plan que les victimes d'autres crimes dans l'histoire. La place marginale que le judéocide avait occupée jusqu'alors dans le souvenir de la civilisation « judéochrétienne » était bien évidemment intolérable. Il importait, au plan moral, qu'il soit reconnu comme un élément central du rapport que l'Europe entretenait avec la Seconde Guerre mondiale. Cependant, il en fallait bien davantage pour la nouvelle politique sioniste et pseudo-juive : il ne lui suffisait pas que le souvenir des victimes fût gravé dans la conscience de l'Occident. Elle revendiquait la spécificité, l'exclusivité et la propriété nationale totale sur la souffrance. De là date ce qui est appelé opportunément l'« industrie de la Shoah », avec l'objectif de maximiser le passé douloureux afin d'accumuler un capital de prestige, mais aussi économique.

Toutes les autres victimes furent donc écartées, et le génocide devint une exclusivité juive ; toute comparaison avec l'extermination d'un autre peuple fut désormais interdite. Quand les descendants arméniens demandèrent en Amérique la reconnaissance d'une journée de commémoration du massacre commis par les Turcs, le lobby pro-sioniste se joignit à ces derniers pour tenter d'y faire barrage. Tous les crimes passés et présents étaient nécessairement minuscules face au gigantesque massacre des juifs pendant la Seconde Guerre mondiale. Les victimes « parce que nées juives » ne ressemblaient aucunement aux autres – ainsi en est-il des suppliciés de *La Liste de Schindler*, de Steven Spielberg, ou de *Shoah*, de Claude Lanzmann.

La volonté d'Hitler d'exclure les juifs de l'humanité « normale » a trouvé une forme de confirmation perverse dans la politique mémorielle adoptée par Israël et ses partisans, sur l'ensemble du monde occidental : la rhétorique sioniste a insisté de plus en plus sur la spécificité éternelle de la victime et non pas du bourreau, du juif et non pas du nazi. Il y a pléthore de bourreaux comme Hitler, tandis qu'il n'y a jamais eu de victimes comme les juifs, et qu'il n'y en aura jamais plus ! Gamal Abdel Nasser fut en son temps qualifié de nouvel Hitler, avant d'être remplacé, dans cette appellation, par le Palestinien Yasser Arafat puis l'Irakien Saddam Hussein, et, dernièrement, le rôle a été dévolu à l'Iranien Ahmadinejad. Selon cette construction du souvenir, la singularité de l'histoire du continent européen, après l'époque des Lumières, ne se trouve pas chez les organisateurs nazis de l'industrie de la mort, mais uniquement chez les morts et les persécutés d'origine juive[1].

Le camp des descendants des survivants de l'extermination n'a cessé de grandir à partir des années 1970 : depuis lors tout le monde a voulu faire partie des rescapés. Nombre d'Américains d'origine juive qui n'ont pas vécu en Europe pendant la Seconde Guerre ni manifesté de solidarité effective avec les victimes au temps du massacre se sont déclarés héritiers directs des survivants de l'œuvre de mort. Des enfants de juifs d'Irak et d'Afrique du Nord en sont venus à se considérer comme partie intégrante du camp croissant des victimes du nazisme. En Israël sont apparus dans ces mêmes années la formule « deuxième génération de la Shoah », puis « troisième génération » ; le capital symbolique de la souffrance passée se destine donc à être légué, comme tout capital.

La vieille identité religieuse du « peuple élu » a peu à peu laissé place au culte laïc moderne, très efficace, non seulement de la « victime élue », mais

---

1. Je fais référence au continent européen car les deux autres horreurs suprêmes des temps modernes, et postérieures aux Lumières, le colonialisme et le stalinisme, ont eu lieu pour l'essentiel à l'extérieur du continent. En fait, il me semble que les hommes d'exception au temps de la persécution et du crime furent les « Justes », qui risquèrent leur vie pour sauver l'autre. Comme toujours dans l'Histoire ils furent très peu nombreux.

aussi de la « victime exclusive ». Cet axe identitaire de la « judéité laïque », dans sa dimension morale ethnocentrique, permet à beaucoup de marquer leur auto-identification comme juifs ; je reviendrai par la suite sur ce point. Cela a aussi contribué au malaise croissant que je ressens à me définir comme juif laïc ; à quoi se sont, évidemment, ajoutés d'autres facteurs.

IX

SE REPOSER APRÈS AVOIR TUÉ UN TURC

Les questions d'une enfant

Une histoire d'humour yiddish assez connue, pleine d'autodérision, fustige le caractère intracommunautaire de la morale juive : une mère juive accompagne son fils mobilisé dans l'armée du tsar lors de la guerre de Crimée. Au moment de le quitter, elle murmure à l'oreille de son fils : « Tue un Turc, et ensuite n'oublie pas de t'asseoir pour manger. — Oui, maman, répond le fils. — Et surtout, ajoute la mère, veille à bien te reposer après chaque attaque où tu auras tué des Turcs ! — Bien sûr, répond le nouveau soldat, et, après quelques secondes d'hésitation : Et si le Turc me tue ? La mère écarquille ses grands yeux : Pourquoi est-ce qu'il te tuerait ? Tu ne lui as rien fait ! »

En 1999, alors que je me trouvais à San Francisco, chez de lointains parents, eux-mêmes descendants du peuple yiddish, qui m'avaient invité pour le *Seder* (repas traditionnel de *Pessah*, la Pâque juive), il m'arriva une chose étrange. La majorité des convives étant anglophones, il m'échut de lire la *Haggadah* (le récit de la sortie d'Égypte), ce que je m'étais toujours abstenu de faire, puis d'en traduire le texte à haute voix pour les Américains. On suscite l'intérêt des enfants pour le *Seder* de *Pessah* ; le récit de la *Haggadah* doit les instruire et leur transmettre une somme de « souvenirs » juifs. Je pris au sérieux mon rôle d'instructeur, en insistant sur le message de liberté dans les récits historiques. Il régnait une joyeuse ambiance, entre les sévères plaies d'Égypte et la consommation de vins fins.

Sur le chemin du retour, dans la pénombre de la voiture, ma fille, alors âgée de cinq ans, posa des questions sur les dix plaies envoyées par Dieu aux méchants Égyptiens. Pour la première plaie : le sang coulait-il des robinets ou seulement dans les rivières ? Le buvait-on réellement ? Qu'est-ce que les grenouilles ont fait précisément aux gens ? Les moustiques étaient-ils gros ou petits ? L'enfant, bien qu'à moitié endormie, parvint, dans ses interrogations, à la dixième plaie, la plus troublante du récit de la sortie d'Égypte. Que signifient « les premiers-nés » ? Uniquement les garçons premiers nés, ou est-ce que l'on tuait aussi les filles ? Ma réponse lui assurant que seuls les garçons étaient concernés la calma, et son silence me persuada qu'elle s'était endormie. Mais, soudain, une dernière question « choc » jaillit du siège arrière : « Est-ce que Dieu a tué aussi les petits bébés, quand c'était le premier garçon de la famille ? »

Que répondre ? Je n'allais pas préciser à ma fille que cela ne concernait que les habitants de l'Égypte et non pas les enfants de « chez nous » : en effet, si je me définissais encore comme juif, je n'ai jamais été un ethnocentriste aveugle et hermétique. Je n'ai pas non plus tenté d'invoquer le prétexte de la vengeance « justifiée », car j'ai peine à croire que Satan lui-même ait inventé une vengeance qui se traduirait par la tuerie volontaire de jeunes enfants. Je ne pouvais pas davantage lui dire qu'il s'agissait de la description objective d'une action divine, vis-à-vis de laquelle nous restons neutres. Que savait-elle, après tout, de l'objectivité et de la neutralité ? Et ce d'autant que deux heures auparavant elle avait entendu le chant puissant dans lequel nous avions remercié Dieu pour la plaie de la mort du premier-né, et qu'elle-même avait murmuré à haute voix, après moi : « Cela nous aurait suffi. »

Je me suis « cassé la tête » pour trouver d'autres réponses dilatoires, au cas où l'interrogatoire reprendrait, le lendemain matin, mais je restais bloqué par l'appréhension. Qu'adviendrait-il si elle voulait que l'on relise la *Haggadah*, et que l'on arrive à cette supplication de vengeance adressée à Dieu : « Déverse ta colère sur les peuples qui ne te connaissent pas… et anéantis-les de dessous tes cieux » ?

La compilation des recueils appelée *Haggadah de Pâque* a occupé une place centrale dans la vie culturelle juive, et la première version dont on dispose date du XIIe siècle. On ne sait pas précisément quand y a été insérée la demande explicite d'extermination de tous les « peuples » ne croyant pas au Dieu des juifs, et qui ont osé attenter à Israël. On sait en revanche qu'au Moyen Âge des prêtres judéophobes connaissaient ce texte et s'en servaient pour enflammer les esprits contre les hérétiques meurtriers de Jésus et les vouer à la vindicte en répandant les atroces accusations de crimes rituels. Il est bien connu que le lien dangereux entre le sang d'enfants et les *matzot* (le pain azyme de Pâque) a été utilisé comme arme populaire par nombre de provocateurs.

Je suppose que mes deux grands-mères et mon grand-père ont encore célébré le *Seder* de *Pessah* lorsqu'ils étaient enfermés dans le ghetto de Lodz, avant de périr étouffés dans ces camions qui fonctionnaient mal et cédèrent la place aux chambres à gaz plus efficaces. Je ne sais pas si dans leurs prières mes grands-parents sont arrivés jusqu'à la phrase effrayante, mais je suis sûr que le monde est aujourd'hui plein d'indulgence à leur égard (tout comme je le suis moi-même). On peut comprendre que les faibles et les persécutés crient vengeance, sans justifier tout acte qu'ils accomplissent et toute sottise sortie de leur bouche. Mais que dire des intellectuels « juifs laïcs » de Paris, Londres ou New York qui de nos jours lisent la *Haggadah* dans l'enthousiasme ou le contentement de soi, sans en supprimer les outrages à l'égard des *goyim* ? Et question encore plus épineuse : comment considérer le fait que cette phrase malencontreuse soit prononcée par les pilotes israéliens maîtres du ciel au Moyen-Orient, ou par les colons armés patrouillant à proximité des villages arabes, sans défense, en Cisjordanie occupée ?

De la supériorité morale juive

Nombre de ceux qui, coupés de la croyance consolatrice en un Dieu, se disent à nouveau juifs laïcs, invoquent aujourd'hui l'excellence de l'éthique juive. Pendant des siècles, les juifs ont été stigmatisés pour leur morale dégradée d'usuriers sans scrupule ou de commerçants escrocs (les œuvres de William Shakespeare ou de Charles Dickens ne font pas exception). À la suite du choc créé par le génocide, les conceptions antijuives ont connu des changements radicaux. Divers cercles intellectuels mirent l'accent sur une donnée incontestable : nombre de fils et filles de la bourgeoisie juive ne poursuivaient pas la voie parentale d'accumulation du capital, mais se plaçaient au contraire en penseurs et dirigeants, du côté des opprimés et des exploités. Depuis Karl Marx lui-même, qui a consacré sa vie au prolétariat industriel du XIXᵉ siècle, en passant par Léon Trotski et Rosa Luxemburg, Léon Blum, et jusqu'à Howard Zinn et les centaines de jeunes qui s'engagèrent dans les luttes pour l'égalité des droits des Noirs aux États-Unis ou se solidarisèrent avec les Vietnamiens, nombreux furent ceux qui, issus de familles juives, se sont révoltés et ont lutté avec constance pour l'avènement de la justice et des droits sociaux.

L'image du juif s'est ainsi retournée pour être adoubée, de nos jours, dans l'Europe philosémite et « judéo-chrétienne ». On recherche désormais une causalité immanente à la présence massive de descendants juifs aux côtés de la culture et du progrès humain. Beaucoup eurent tôt fait d'y voir l'empreinte de l'antique morale juive. Les motivations des révoltés contre l'injustice s'expliquaient par une éducation juive reposant, semblait-il, sur une longue tradition humaniste. Selon cette approche, le « peuple » qui a donné au monde les dix commandements a poursuivi sa trajectoire spécifique parmi les autres peuples pour les initier aux principes sublimes des prophètes bibliques. On jugea opportun de mettre en exergue la philosophie religieuse du « dialogue » de Martin Buber, et de se saisir, aujourd'hui, sur ce même fond, de la théorie de l'« autre », dans l'œuvre philosophique d'Emmanuel Levinas. Depuis quelque temps, nombre d'intellectuels s'emploient à créditer le judaïsme d'une éthique supérieure, d'amour de l'autre, de solidarité immanente avec celui qui souffre et qui est opprimé.

Cependant, de même que dans le passé la mauvaise réputation des juifs reposait sur des assertions fondamentalement mensongères, l'image aujourd'hui mise en avant d'une supériorité morale juive relève d'un mythe bricolé et dépourvu de tout fondement historique ; ce que ni la pensée de Buber ni celle de Levinas ne pourront infirmer. La tradition juive a reposé, pour l'essentiel, sur un éthos intracommunautaire. Le défaut de morale universaliste se retrouvait, certes, chez d'autres communautés religieuses, mais il fut toujours très appuyé chez les juifs, de par leur situation d'isolement consécutive aux persécutions. Le judaïsme a modelé une morale particulariste ethno-religieuse, et ce de façon marquée durant plusieurs siècles.

« Celui qui sauve une vie... »

On a coutume, pour démontrer les bases uni-
verselles de la morale juive, de citer le verset
biblique : « Si un étranger vient séjourner avec toi,
dans votre pays, vous ne l'opprimerez point. Vous
traiterez l'étranger en séjour parmi vous comme un
indigène au milieu de vous. Tu l'aimeras comme
toi-même, car vous avez été étrangers dans le pays
d'Égypte » (Lévitique 19, 33-34). Le terme
« étranger » (*ger* en hébreu), peut être compris
comme signifiant « nouvel habitant » ; mais il est
probable que le sens a trait exclusivement à l'im-
migré soumis ayant adopté la croyance en Yahvé
dont il accomplit une partie des commandements.
La Bible interdit expressément la coexistence des
idolâtres et des adeptes de Yahvé sur la Terre promise. Le terme *ger* ne s'applique jamais aux
Cananéens ni aux Philistins incirconcis.

Dans le même chapitre biblique se trouve le
célèbre aphorisme : « Tu aimeras ton prochain
comme toi-même » (Lévitique 19, 18), que le
Nouveau Testament a repris (Matthieu 19, 19 ;
Marc 12, 31 ; Romains 13, 9). Peu sont pourtant
prêts à reconnaître et à souligner que le verset inté-
gral, dans le texte sacré de Yahvé, stipule : « Tu ne
te vengeras point, et tu ne garderas point de rancune
contre les enfants de ton peuple, et tu aimeras ton
prochain comme toi-même. » Maimonide, le plus
grand exégète juif de tous les temps, dans son
ouvrage *Mishné Torah*, a donc interprété la phrase
ainsi : « Tout homme doit aimer tous ceux d'Israël
comme lui-même... » Pour le yahvisme, comme

pour le judaïsme ultérieur, ce principe concerne uniquement ceux qui communient dans la même foi, et non pas l'humanité entière.

Les spectateurs émus par *La Liste de Schindler* ont entendu, à la fin, la déclaration noble et généreuse, à l'intention de l'Allemand qui a sauvé des juifs : « Celui qui sauve une seule vie a préservé un monde entier. » Combien savent que dans le Talmud de Babylone, qui fut toujours, pour la Loi juive, le texte déterminant, il est écrit : « Celui qui sauve la vie d'un fils d'Israël... sauve un monde entier » (traité Sanhédrin, 37, 1). La cosmétique rhétorique de Spielberg procède d'intentions louables, qui ont plu, mais l'humanisme du film hollywoodien a très peu à voir avec la tradition juive !

Pendant des siècles, les juifs ont plus étudié le Talmud que la Bible. Certes le Pentateuque était bien connu dans les écoles talmudiques, grâce aux *Parashiot Hashavoua* (l'extrait hebdomadaire de la Torah lu publiquement chaque *shabbat*), mais il n'y avait pas de débats sur les messages des grands prophètes. Les aspects universels de la prophétie biblique ont davantage imprégné la tradition chrétienne que la tradition juive. La position d'inégalité envers l'« autre » non juif n'est toutefois pas toujours aussi univoque que celle formulée, par exemple, dans le Talmud : « On vous appelle homme, et les peuples du monde ne sont pas appelés homme » (Yevamot 51, 1). Ce n'est pas cependant le fait du hasard si Abraham Yitzhak Hacohen Kook, principal architecte du processus de nationalisation de la religion juive au XXe siècle, et premier grand rabbin de la communauté de colons en Palestine avant la création de l'État d'Israël, a pu écrire dans son ouvrage intitulé *Lumières* : « La différence entre une âme d'Israël, avec son authenticité, ses souhaits intérieurs, son aspiration, sa qualité et sa vision, et l'âme de tous les non-juifs, à tous les niveaux, est plus grande et plus profonde que la différence entre l'âme d'un homme et celle d'un animal ; parmi ces derniers, il n'y a qu'une différence quantitative, tandis qu'entre ceux-ci et les premiers existe une différence qualitative spécifique. »

Les écrits du rabbin Kook servent aujourd'hui encore de guide spirituel à la communauté des colons nationaux-religieux installés dans les territoires occupés.

Vocation universelle ?

Les principes éthiques des dix commandements exposés dans la Bible sont devenus le bien commun de tous les croyants en un Dieu unique, en Occident ; ils sont apparus sur le mont Sinaï et ont été consacrés par les trois religions occidentales : le judaïsme, le christianisme et l'islam ; ils sont considérés comme le fondement du monothéisme devenu foi universelle ; mais faut-il aussi y voir la base éthique universelle du judaïsme ?

En ce même lieu mythologique où il apparaît à Moïse, le Dieu s'engage également à exterminer tous les habitants de Canaan pour faire la place libre, en Terre promise, aux fils d'Israël. Ainsi un meurtre de masse est-il promis, trois brefs chapitres de la Bible après les dix commandements, notamment le « Tu ne tueras point » : « Mon ange marchera devant toi et te conduira chez les Amorrhéens, les Hétiens, les Phéréziens, les Cananéens, les Héviens, et les Jébusiéens, et je les exterminerai » (Exode 23, 23). Au cours de l'histoire, les juifs ont connu la promesse, sa cruelle concrétisation dans la suite du récit, et en croyants conséquents ils furent contraints de sanctifier la loi divine dont la logique ne pouvait être contestée.

Cette tradition génocidaire yahviste a été transmise, en même temps que les dix commandements, aux deux autres croyances monothéistes qui encouragèrent l'élimination des idolâtres refusant obstinément de reconnaître la supériorité d'un dieu unique omnipotent. Ce n'est qu'au XVIIIe siècle, avec les Lumières, que furent critiquées ces terribles prescriptions. Il a fallu attendre Jean Meslier, Thomas Chubb, Voltaire et d'autres philosophes pour mettre en évidence la morale religieuse anti-universelle caractéristique de la Bible dont se sont nourris indirectement tous ceux – juifs, chrétiens et musulmans – qui ont révéré le texte sacré comme un Dieu vivant.

Les descendants des juifs, en voie de laïcisation, durent rompre, au prix de rudes efforts, avec cette tradition éthique égocentriste pour rejoindre une morale plus universelle. Bien que certains aient été conscients que le rêve ne se réaliserait jamais pleinement, ils ont dû adhérer aux principes modernes de liberté, d'égalité et de fraternité, censés devenir le bien commun de toute l'humanité. Sans le bouleversement induit par les Lumières, sans la conception universelle des droits de l'homme et du citoyen, puis des droits sociaux, on n'aurait pas vu émerger des intellectuels et des dirigeants comme Karl Marx, Léon Trotski, Rosa Luxemburg, Kurt Eisner, Carlo Rosselli, Léon Blum, Otto Bauer, Pierre Mendès France, Abraham Serfaty, Daniel Cohn-Bendit, Noam Chomsky, Daniel Bensaïd, Naomi Klein et bien d'autres encore, héritiers proches ou lointains d'une tradition juive.

Plus ces personnalités s'éloignaient de la tradition religieuse juive, plus, inversement, ils formulaient une conception du monde humaniste, plus ils voulaient changer les conditions de vie de tous les hommes et non pas uniquement de leurs coreligionnaires, de leur communauté ou de leur nation. Cette problématique reste à clarifier et à approfondir : est-ce un hasard si l'univers de la révolution, de la protestation, de la réforme ou de l'utopie a attiré autant de personnalités dont les origines remontaient à un passé juif ?

L'oppression exercée par des civilisations religieuses dominantes à l'encontre d'une minorité religieuse a préparé le terrain pour qu'avec l'avènement des Lumières une partie des opprimés, en voie de laïcisation, affiche sa solidarité envers tous ceux qui souffrent. De plus, la judéophobie moderne persistant contre leur gré à les voir comme juifs a conforté leur aspiration à une morale universelle : pour nous libérer, il faut libérer tout le monde ; pour obtenir notre véritable liberté, tous les hommes, par principe, doivent être libres.

Un reste de la tradition d'espérance messianique, fondement de la foi juive ancestrale, a pu continuer de résonner chez certains, bien qu'il soit difficile d'en avoir confirmation. La sensibilité juive était imprégnée d'un désir ardent de salut religieux. À la suite des persécutions, et avec le processus de laïcisation, elle aspirait vivement à la révolution ; l'avènement d'un monde plus juste étant synonyme de la fin de l'histoire, des souffrances et de l'oppression.

Durant plusieurs générations suivant les débuts de l'émancipation, et alors que le vent de la judéophobie continuait de souffler, nombre de descendants des juifs peuplèrent les bataillons des contestataires de l'ordre établi. Ils faisaient partie des « non-conformistes », par excellence, des temps modernes. On comptait une présence importante d'intellectuels rebelles, aux parents issus de l'univers culturel juif, ce qui n'était absolument pas du goût des conservateurs et de la droite judéophobe.

Avec la disparition de l'antisémitisme politique et la dévalorisation de l'utopie dans l'univers spirituel occidental, ce phénomène a vite évolué. La perte de prestige de l'universalisme révolutionnaire, consécutive à la révélation des crimes atroces commis par les régimes communistes, même si ce ne fut pas le seul facteur, s'est malheureusement accompagnée de la dissolution des principes de solidarité humaine. Le nombre d'intellectuels animés d'une conscience universelle, fils ou filles de juifs immigrés, prêts à se placer toujours aux côtés des persécutés, a singulièrement régressé, une large fraction d'entre eux s'affichant même comme de plus en plus conservateurs. Quelques-uns se rapprochèrent des traditions religieuses juives, quand d'autres, plus nombreux, se muaient en défenseurs enthousiastes de tous les actes politiques d'Israël au Moyen-Orient.

Quiconque tente d'établir un lien entre morale juive et justice sociale, entre tradition juive et égalité des droits de l'homme, devra se demander pourquoi le monde religieux juif n'a donné naissance à quasiment aucun courant de prédication luttant contre les atteintes répétées aux droits de l'homme. De nos jours, on ne trouve guère de protestations émanant des institutions juives contre les graves injustices quotidiennement commises sous l'occupation israélienne. On percevra, certes, de la part de quelques jeunes rabbins réformateurs, qui font exception, des marques de compassion envers la détresse d'autrui, mais les communautés juives solidement organisées ne se sont jamais mobilisées pour soutenir des persécutés non juifs. Les étudiants talmudiques, pleins d'énergie, ne sont jamais allés manifester contre l'oppression subie par d'autres : de telles démarches auraient totalement contredit la mentalité religieuse traditionnelle.

Il faut, en même temps, se garder d'assimiler le judaïsme au sionisme. Le judaïsme s'est fermement opposé au nationalisme juif, jusqu'au XXe siècle, et même jusqu'à l'arrivée d'Hitler. Les organisations et les institutions juives, avec le soutien massif de leurs membres, récusaient l'idée de la colonisation en Terre sainte, et a fortiori la création d'un État qui serait dit « État juif ». Précisons que cette opposition ne résultait pas d'une identification humaniste avec les habitants locaux, peu à peu déracinés de leur terre par le processus. Les grands rabbins n'étaient pas guidés par des impératifs moraux universels. Ils avaient tout simplement compris que le sionisme représentait, en fin de compte, une assimilation collective dans la modernité, et que le culte rendu au sol national, exprimé dans une nouvelle foi laïque, venait en fait supplanter la dévotion divine.

La création de l'État d'Israël, ses triomphes militaires et son expansion territoriale finirent par emporter la grande majorité du camp religieux qui a connu une nationalisation radicale accélérée. De larges pans des nationaux-religieux, tout comme des orthodoxes-nationaux, font aujourd'hui partie des courants les plus ethnocentristes de la société israélienne. Ils n'ont pas été conduits dans cette voie par la Bible ou le Talmud. Mais les messages principaux du livre sacré et de ses commentaires ne les ont pas prémunis contre ce glissement vers un racisme brutal, un désir effréné de territoires et une absence criante de prise en considération des habitants natifs de la Palestine.

Autrement dit, les dimensions égocentristes qui caractérisent la morale juive traditionnelle n'ont peut-être pas de responsabilité directe dans l'effondrement antilibéral et antidémocratique auquel on assiste aujourd'hui en Israël, mais elles l'ont incontestablement rendu possible et elles continuent de l'autoriser. Quand une tradition d'éthique intra-communautaire s'unit à un pouvoir religieux, national ou au pouvoir d'un parti, elle engendre toujours de terribles injustices contre ceux qui ne font pas partie de la communauté.

X

QUI EST JUIF EN ISRAËL ?

Ne pas être arabe...

En 2011, à l'aéroport de Tel-Aviv, j'attends un vol pour Londres. L'inspection de sécurité se prolonge, les passagers s'impatientent. Je suis, comme tout le monde, gagné par la lassitude lorsque, soudain, mon regard est attiré par une femme assise sur un banc à proximité des comptoirs ; sa tête, mais non pas le visage, est enveloppée dans un foulard traditionnel (délibérément qualifié à tort de « voile » par les médias occidentaux). Elle est encadrée par deux agents de sécurité israéliens qui l'ont fait sortir de la file. On devine vite qu'il s'agit d'une Israélienne « non juive ». Autour de moi, les Judéo-Israéliens semblent ne pas la voir, comme si elle était transparente : scène routinière lors de l'embarquement en Israël. Les Palestino-Israéliens sont toujours séparés du reste des passagers et ils ont droit à un interrogatoire et une inspection spécifiques. La justification donnée comme allant de soi est la menace d'un attentat terroriste. Que les Arabes d'Israël n'aient pas été entraînés dans les attentats et que le terrorisme ait diminué dans les dernières années n'a pas atténué la nervosité de la surveillance : dans l'État des immigrants juifs, les Palestiniens d'origine demeurent des suspects perpétuellement contrôlés.

Je me sentais mal à l'aise et esquissai à son intention un geste d'impuissance. Elle me dévisagea un moment dans un silence interrogatif. Son regard ne correspondait pas à la description faite par mon père, mais il disait aussi la tristesse de l'offense et la crainte. Elle me sourit et me rendit une expression de fatalisme. Quelques minutes plus tard, je franchis le comptoir sans la moindre difficulté. J'en eus presque honte et n'osai pas tourner la tête dans sa direction : je compense en écrivant ces lignes. Cette rencontre fugace me l'a confirmé : en Israël, être « juif », c'est avant tout ne pas être arabe.

Depuis la fondation de l'État d'Israël, la laïcisation sioniste a dû se confronter à une interrogation de base à laquelle ni elle-même ni ses partisans à l'étranger n'ont à ce jour répondu : qui est juif ?

Lois religieuses et lois civiques

Le judaïsme talmudique ne se posait pas ce genre de question. À la différence de la Bible, qui le caractérisait comme celui qui croit en Dieu, le juif est toujours resté celui qui est né de mère juive ou qui s'est converti selon la loi, et qui accomplit les préceptes essentiels. Aux temps où l'athéisme n'existait pas, lorsque quelqu'un abandonnait le judaïsme (et beaucoup étaient dans ce cas) pour adhérer à une autre croyance, il cessait d'être juif aux yeux de la communauté. Avec l'avènement de la laïcité, un juif cessant d'accomplir les devoirs religieux sans opter pour une autre croyance suscitait la désolation des siens mais continuait d'être considéré comme juif, car l'espoir subsistait, dès lors qu'il n'était pas devenu chrétien ou musulman, qu'un jour il reviendrait dans le giron de la foi.

Durant les premières années d'existence de l'État d'Israël, lorsque les vagues d'immigration amenaient leur lot de « couples mixtes », le sionisme a été tenté de gommer le problème, mais il comprit très vite qu'il ne pouvait pas faire reposer la définition du juif sur le principe du volontariat. Par la « loi du retour » le nouvel État accorda automatiquement la possibilité d'immigrer et d'obtenir la citoyenneté à tous ceux qu'il définissait comme juifs. Une telle ouverture des portes risquait de brouiller la légitimité ethno-religieuse de la colonisation sur laquelle le sionisme laïc s'était appuyé. Le sionisme avait de plus défini les juifs comme un « peuple » d'origine unique, ce qui, comme le judaïsme avant lui, lui faisait redouter une « assimilation » des juifs avec les peuples voisins.

Dans l'État laïc en voie d'être créé, le mariage civil fut donc interdit, seules furent consacrées les unions religieuses. Un juif ne peut qu'épouser une juive, le musulman ne pourra épouser qu'une musulmane, et cette loi durement ségrégative s'applique aussi aux chrétiens et aux druzes. Un couple juif sans enfants ne peut adopter un enfant « non juif » (musulman ou chrétien) qu'en le convertissant au judaïsme selon la Loi rabbinique ; l'hypothèse de l'adoption d'un enfant d'origine juive par un couple musulman n'est pas envisageable. Contrairement à une idée répandue, la pérennisation de cette législation pseudo-religieuse et antilibérale n'est pas due à la puissance électorale des religieux mais résulte des incertitudes concernant l'identité nationale laïque et de la volonté de préserver un ethnocentrisme juif. Israël n'a jamais fait figure de théocratie rabbinique ; depuis sa naissance, il est et demeure une ethnocratie sioniste.

Cette ethnocratie a toujours dû répondre à un problème cardinal : elle se dit « État juif », ou encore « État du peuple juif », du monde entier, mais elle n'est pas à même de définir qui est juif. Les tentatives effectuées dans les années 1950 d'identifier le juif grâce à l'empreinte digitale, tout comme les expériences récentes visant à distinguer un ADN juif, ont toutes tourné court. Certains savants sionistes en Israël et à l'étranger ont beau proclamer l'existence d'une « pureté génétique » que les juifs auraient préservée au cours des générations, ils n'ont cependant toujours pas réussi à caractériser un juif selon un prototype d'ADN.

Des critères culturels ou linguistiques ne pouvaient être retenus : leurs descendants n'ont jamais partagé une langue ni une culture commune. Seuls les critères religieux restaient à la disposition des législateurs laïcs : celui qui est né de mère juive ou s'est converti selon la loi et la règle religieuse est reconnu par l'État d'Israël comme juif, propriétaire exclusif et éternel de l'État et du territoire administré par celui-ci. D'où le besoin croissant, dans la politique identitaire officielle, de conserver les habits religieux.

État juif, État communautaire

Depuis la fin des années 1970 et plus encore dans les années 1980, on insiste sur le fait que l'État d'Israël est juif et non pas israélien. Le premier qualificatif recouvre les juifs du monde entier, le second n'inclut « que » l'ensemble des citoyens vivant en Israël : musulmans, chrétiens, druzes et juifs, sans distinction. Alors même que, au quotidien, l'israélisation culturelle gagnait en maturité (les Palestino-Israéliens connaissaient une acculturation et maîtrisaient parfaitement l'hébreu), au lieu de reconnaître son identité et d'en faire le creuset d'une conscience républicaine et démocratique, l'État s'est de plus en plus judéocentré.

D'un côté, une réalité culturelle israélienne, de l'autre une supra-identité juive ont engendré dans la politique des identités en Israël une étrange schizophrénie : d'une part, l'État israélien proclame de plus en plus qu'il est juif et s'oblige à subventionner toujours davantage d'entreprises culturelles et d'établissements religieux et nationaux traditionnels, aux dépens de l'enseignement des humanités générales et du savoir scientifique. D'autre part, les anciennes élites intellectuelles et une fraction de la classe moyenne laïque continuent de se plaindre de la contrainte religieuse. Elles veulent faire « sans », tout en continuant de se sentir « avec » : elles veulent rester simplement juives sans judaïsme, sans percevoir l'impossibilité de la chose.

Plusieurs raisons expliquent l'accentuation de la judaïsation dans l'identité étatique. Cette tendance résulte du fait que l'État d'Israël a dû contrôler du jour au lendemain une importante population palestinienne. Les Palestiniens des zones d'apartheid dans les territoires occupés, auxquels s'ajoutent les Arabes d'Israël, représentent une masse démographique perçue comme critique et menaçante pour le caractère pseudo-juif de l'État.

Le besoin accru de profil juif pour définir l'État provient de la victoire de la droite sioniste, laquelle a bénéficié principalement, mais pas uniquement, du soutien des Israéliens d'origine judéo-arabe. Ceux-ci, on l'a vu, avaient conservé leur identité juive sous une forme bien plus appuyée que les membres d'autres groupes d'immigrés. Ils sont parvenus depuis 1977 à lui donner au plan électoral une traduction politique efficace qui a orienté durablement la voie suivie par Israël.

L'arrivée instrumentalisée des « Russes », à partir de la fin des années 1980, porteurs de caractéristiques très différentes, a également exacerbé la tendance générale : c'est l'absence chez ces nouveaux immigrants de toute tradition juive et de toute accointance avec la culture israélienne qui a conduit les institutions sionistes à souligner la judéité imprégnée, non pas dans leur héritage culturel, mais dans leur essence, autrement dit dans leur ADN. Cette campagne identitaire s'est révélée compliquée car une partie non négligeable de cette population n'était pas juive : ainsi nombre des immigrés russes redécouvrent leur « judéité » via un fort racisme anti-arabe.

Des signes annonçant le déclin du nationalisme classique dans le monde occidental, et la montée du communautarisme ou d'un tribalisme transnational (j'y reviendrai) ont jailli en Israël. Quelle valeur aurait une identité culturelle israélienne mineure à l'ère de la globalisation ? N'est-il pas préférable de développer une identité « ethnique » supranationale qui, d'une part, donnera aux descendants des juifs dans le monde le sentiment qu'Israël leur appartient et entretiendra, d'autre part, parmi les Judéo-Israéliens la conscience de faire partie d'un grand peuple juif, dont quelques-uns détiennent des pouvoirs importants dans toutes les capitales occidentales ? Pourquoi ne pas appartenir à un « peuple monde » dont sont issus tant de lauréats du prix Nobel, tant de savants, tant de cinéastes ? L'identité israélienne ou hébraïque locale a perdu de son prestige passé, cédant la place à une auto-identité juive hypertrophiée. C'est ainsi, on l'a vu, qu'une tradition juive s'est octroyé un bain de jouvence chez nombre de « nouveaux juifs ».

Pour décrypter les lois de la citoyenneté et de l'éducation identitaire, qui depuis les années 1980 ont été renforcées dans l'État d'Israël, proposons une comparaison : si les États-Unis d'Amérique décidaient demain qu'ils ne sont pas l'État de tous les citoyens américains, mais l'État de ceux qui dans le monde entier sont identifiés comme Anglo-Saxons protestants, ils ressembleraient étonnamment à Israël. Certes, les Afro-Américains, les Latino-Américains ou les Judéo-Américains auraient le droit de participer aux élections de la Chambre des représentants et du Sénat, mais les élus devraient rappeler que l'État américain demeure éternellement anglo-saxon.

Pour mieux saisir la problématique, élargissons le parallélisme : imaginons qu'en France, on décide de modifier la Constitution en établissant que le pays doit être défini comme un État gallo-catholique et que 80 % de son sol ne peut être vendu qu'à des citoyens gallo-catholiques, tout en précisant que ses citoyens protestants, musulmans ou juifs disposent du droit de vote et du droit d'être élu. Le courant tribal, antidémocratique, s'étend au reste de l'Europe : on se heurte en Allemagne à des difficultés, tenant aux stigmates du passé, pour réhabiliter officiellement les anciens principes ethnocentristes. La Grande-Bretagne proclame solennellement qu'elle n'appartient plus à ses sujets britanniques – Écossais, Gallois et citoyens descendants des immigrés venus des anciennes colonies –, mais qu'elle est désormais l'État des Anglais nés de mères anglaises. L'Espagne emboîte le pas à ses voisins et déchire le voile de l'hypocrisie nationale : elle n'est plus dorénavant la propriété de tous les Espagnols, mais devient explicitement l'État castillan démocratique, qui accorde généreusement à ses minorités catalane, andalouse et basque une autonomie limitée.

Dans l'hypothèse où ces changements historiques deviendraient réalité, Israël verrait enfin aboutir sa destinée, être une « lumière parmi les nations ». Elle se sentirait plus à l'aise et moins isolée dans sa politique identitaire exclusive. Il y a cependant une ombre au tableau : des mesures de ce type sont irrecevables dans un État « normal », fondé sur des principes républicains. La démocratie libérale n'a jamais été uniquement un instrument de régulation des rapports de classes, elle est aussi apparue comme objet d'identification pour tous ses citoyens, censés croire qu'ils ont sur elle un titre de propriété et que par elle ils expriment directement leur souveraineté. La dimension symbolique et intégrative a joué un rôle important dans l'avènement de l'État-nation démocratique, même si du symbole à la réalité un écart a toujours subsisté.

Une politique ressemblant à celle d'Israël vis-à-vis des groupes minoritaires n'appartenant pas à l'*ethnos* dominant ne se trouve guère aujourd'hui que dans les pays post-communistes d'Europe de l'Est où existe une droite nationaliste significative, voire hégémonique.

L'esprit des lois

D'après l'esprit de ses lois, l'État d'Israël appartient davantage à des personnes non israéliennes qu'à l'ensemble des citoyens qui y résident. Il s'affirme plus comme le patrimoine national des « nouveaux juifs » du monde (Paul Wolfowitz, ancien président de la Banque mondiale, lord Michael Levy, le célèbre philanthrope britannique, Dominique Strauss-Kahn, ancien directeur général du FMI, ou Vladimir Gusinsky, l'oligarque russe résidant en Espagne) que des 20 % de ses citoyens identifiés comme arabes, dont les parents, les grands-parents et les arrière-grands-parents sont nés sur son territoire. Ainsi, certains nababs du monde entier, d'origine juive, se sentent le droit d'intervenir dans la vie d'Israël : en investissant massivement dans les médias et dans le dispositif politique, ils influent de plus en plus sur ses dirigeants et ses orientations.

On trouve aussi parmi les « nouveaux juifs » des intellectuels qui savent que l'État des juifs est à eux. Bernard-Henri Lévy, Alan Dershowitz, Alexandre Adler ou Howard Jacobson, David Horowitz ou Henryk Broder, et des dizaines d'autres adeptes du sionisme, actifs dans divers champs des médias de masse, ne se trompent pas dans leurs préférences politiques : contrairement à ce que furent Moscou pour les anciens communistes non soviétiques et Pékin pour les maoïstes des années 1960, Jérusalem est bien leur propriété. Ils n'ont pas à connaître, pour cela, l'histoire ou la géographie du lieu ni à apprendre ses langues (l'hébreu ou l'arabe), y travailler, y payer des impôts, ou, à Dieu ne plaise, s'engager dans son armée ! Il leur suffit d'effectuer une brève visite en Israël, d'obtenir une carte d'identité, d'y acquérir une résidence secondaire, avant de s'en retourner à leur culture nationale et à leur langue maternelle, tout en demeurant pour l'éternité propriétaires de l'État juif ; quelle chance de naître d'une mère juive !

Les habitants arabes d'Israël, en revanche, s'ils épousent une Palestinienne des territoires occupés, n'auront pas le droit de la faire venir en Israël de peur qu'elle n'en devienne citoyenne et n'augmente par là même le nombre des non-juifs en Terre promise.

Soyons exacts : si un immigrant identifié comme juif arrive de Russie ou des États-Unis avec son épouse non juive, celle-ci aura droit à la citoyenneté, mais ni elle ni ses enfants ne seront jamais considérés comme juifs, sauf à se convertir selon la loi religieuse. Autrement dit, au pays des « nouveaux juifs », le fait de ne pas être arabe l'emporte sur le fait de ne pas être juif. Les immigrés « blancs » venus d'Europe ou d'Amérique, bien que non juifs, ont toujours bénéficié d'un accueil plus tolérant. Pour amoindrir le poids démographique des Arabes, il a même été jugé préférable d'affadir un peu l'État juif par dilution de non-juifs à condition qu'ils soient européens blancs.

Pour autant l'État des juifs n'est pas si juif que cela ! Être juif en Israël n'implique pas de devoir respecter les commandements ou croire au Dieu des juifs. On peut se divertir avec des croyances bouddhistes, comme avait coutume de le faire David Ben Gourion, ou manger des crevettes grises, comme Ariel Sharon. On peut rester tête nue, comme la plupart des dirigeants d'Israël et ses chefs militaires. Certes, les transports publics ne fonctionnent pas durant le *shabbat*, mais on peut utiliser son véhicule particulier. On peut gesticuler et s'invectiver sur les terrains de football le jour du repos sacré sans qu'aucun politique religieux n'ose protester. Même le jour de *Kippour*, le plus sacré de toute la foi juive, les enfants d'Israël peuvent s'amuser avec leurs vélos dans toutes les cours de la ville. Tant qu'elles ne viennent pas des Arabes, les manifestations antijuives demeurent légitimes dans l'État des « juifs ».

Que signifie donc être « juif » dans l'État d'Israël ? Être juif en Israël signifie être un citoyen privilégié qui jouit de prérogatives refusées à ceux qui ne sont pas juifs, et particulièrement aux Arabes. Si l'on est juif, on peut s'identifier à l'État qui se dit le reflet de l'essence juive. Si l'on est juif, on peut acheter des terrains alors qu'un citoyen non-juif n'aura pas le droit de les acquérir. Si l'on est juif, même si on n'envisage de séjourner en Israël qu'à titre temporaire avec un hébreu balbutiant, on peut être gouverneur de la Banque d'Israël, banque centrale de l'État, qui n'emploie aucun citoyen israélien-arabe. Si l'on est juif, on peut être ministre des Affaires étrangères et résider à titre permanent dans une colonie située à l'extérieur des frontières juridiques d'Israël, à côté de voisins palestiniens privés de tous droits civiques et dépourvus de souveraineté sur eux-mêmes. Si l'on est juif, on peut installer des colonies sur des terres qui ne nous appartiennent pas, mais aussi circuler en Judée et Samarie sur des routes de contournements, là où les habitants locaux n'ont pas le droit d'aller et de venir librement, à l'intérieur de leur patrie. Si l'on est juif, on ne sera pas arrêté aux barrages, on ne sera pas torturé, personne ne viendra fouiller notre maison en pleine nuit, on ne sera pas pris par erreur comme cible de tir, on ne verra pas par erreur sa maison démolie... Tous ces actes, qui s'accumulent depuis près de cinquante ans, ne sont destinés et réservés qu'aux Arabes.

Dans l'État d'Israël du début du XXIe siècle, être juif ne correspond-il pas à ce qu'était la situation du Blanc dans le sud des États-Unis des années 1950 ou à celle des Français dans l'Algérie

d'avant 1962 ? Le statut du juif en Israël ne res-
semble-t-il pas à celui de l'Afrikaner dans l'Afrique
du Sud d'avant 1994 ?

Comment quelqu'un qui n'est pas un religieux
croyant, mais simplement un humaniste, démo-
crate ou libéral, et doté d'un minimum d'honnê-
teté, peut-il continuer de se définir comme juif ?
Le descendant de persécutés peut-il se laisser
englober dans la tribu des nouveaux juifs laïcs qui
voient Israël comme leur propriété exclusive ? Le
simple fait de se dire juif en Israël ne constitue-t-il
pas un acte d'affiliation à une caste privilégiée, qui
crée autour d'elle d'insupportables injustices ?

Et que signifie être un juif laïc en dehors d'Israël ?
La position prise en 1944 par Julian Tuwim ou
celle de mes parents qui ont erré en Europe comme
réfugiés a-t-elle encore une validité morale en
2013 ?

XI

QUI EST JUIF EN « DIASPORA » ?

Un carré ne peut pas devenir rond

2011. Je participe à un débat dans une bonne librairie londonienne pour la publication d'un de mes livres. L'animateur de la soirée, philosophe venu d'Oxford, homme charmant et subtil, me présente avec une évidente sympathie. Il s'insurge contre la politique militariste d'Israël, son racisme, sa suffisance dans la façon de se présenter comme juif, sa politique d'apartheid appliquée dans les territoires occupés, etc. L'animateur exprime toutefois, avec délicatesse, une réserve envers mon point de vue sur l'inexistence d'un peuple juif. Il se sent comme appartenant à ce peuple, et avec lui la majorité de l'assistance, plutôt gauchiste et libérale, opine du chef. Je lui demande quelle est la culture populaire des juifs laïcs et quelle éducation juive il peut transmettre à ses enfants. Il a du mal à me répondre.

Une dame âgée, légèrement indignée, déclare que si par mon argumentation je lui ôte son identité juive, il ne lui restera plus rien. Je suis surpris et tente de la rassurer : il ne m'appartient évidemment pas, dis-je, de supprimer des auto-identifications et je suis sûr qu'elle-même est riche de nombreuses identités, parallèlement à son identité juive. Mais je lui demande si sa liberté est également la mienne : ai-je le droit moi aussi de me définir comme bon me semble et de ne pas m'enchaîner à une mémoire douloureuse, qui me paraît de plus en plus exploitée à mauvais escient ?

L'assistance comptait quelques personnes dont j'avais toutes raisons de penser qu'elles n'étaient pas « juives », bien que d'apparence moyen-orientale. Aucune d'entre elles n'intervint. J'éprouvai alors un sentiment de malaise : tout ce débat qui semblait « politiquement correct », car manifestement non-sioniste, ne se cantonnait-il pas, malgré tout, à un échange exclusif, réservé aux « nouveaux juifs », auquel les *goyim* ne sont pas censés prendre part ? Ce questionnement fit sourdre en moi une problématique encore plus complexe qui ne m'était jusque-là jamais venue à l'esprit.

La politique moderne des identités est faite de fils barbelés, de murailles et de barrages qui définissent et bornent des collectifs, petits ou grands. On peut franchir des barrières par des moyens légaux, les contourner voire les abolir pour se joindre à un groupe souhaité. On peut devenir citoyen américain, britannique, français ou israélien, tout comme on peut cesser de l'être. On peut devenir militant d'un mouvement socialiste, dirigeant d'un courant libéral ou membre d'un parti conservateur, puis démissionner. Toutes les Églises accueillent des prosélytes. Toute personne peut devenir un fervent musulman ou juif.

Mais comment devenir un juif laïc si l'on n'est pas né de parents juifs ? Existe-t-il un moyen de se joindre au judaïsme laïc par un acte volontaire, un libre choix, ou bien s'agit-il d'un club exclusif, fermé, dont les membres sont sélectionnés en fonction de leur origine ? Autrement dit, n'est-ce pas de plus en plus un club de prestige qui, par erreur mais non par hasard, se pense comme la descendance d'une tribu ancienne ?

Il est certain que par le passé personne ne désirait adhérer à ce club fermé. Aucun « gentil » n'enviait le sort des juifs : ni dans la zone de résidence de l'Empire russe, ni dans le Paris de l'Occupation, ni bien sûr à Auschwitz ! Mais, fort heureusement, ce n'est plus le cas dans un monde occidental qui se repent de la persécution passée des juifs et souhaite expier ses fautes. Dans les universités de New York, dans les studios d'Hollywood, dans les antichambres politiques de Washington, dans nombre de sociétés à Wall Street, dans le monde de la presse à Berlin et à Paris, ou dans les salons culturels de Londres, la mode est plutôt à se définir comme « juif ».

Pour ce faire, point n'est besoin de fournir des efforts excessifs, on l'a vu. On est juif parce qu'on est né juif, et aussi sûrement qu'un carré ne peut pas devenir rond : il aura beau faire, essayer et réessayer, aucun ne pourra y parvenir.

Nous assistons dans le monde occidental de la fin du XXe siècle et du début du XXIe au déclin relatif du nationalisme classique qui a, difficilement, fêté son deux centième anniversaire. La globalisation économique avec ses crises, marchant bras dessus bras dessous avec la globalisation culturelle, ronge les anciennes et solides attaches nationales. Si par le passé l'identification et la fidélité absolue à un drapeau, à un souverain national, à une culture dominante étaient exigées, il y a désormais davantage d'espace pour les identités communautaires partielles, les sous-cultures secondaires, voire les identités transnationales dès lors, évidemment, qu'elles ne menacent pas le principe suprême de l'État-nation souverain.

Les juifs laïcs à travers le monde

Il est bien plus facile de concrétiser aujourd'hui sa volonté d'être identifié en tant que juif. Le problème des « nouveaux juifs » se situe malgré tout dans l'absence d'expression culturelle spécifique et de signe extérieur d'identité juive laïque. C'est pourquoi aux États-Unis mais aussi ailleurs des athées se rendent de temps à autre à la synagogue en voiture le jour du *shabbat*, font circoncire leurs fils (cet acte cultuel « réduirait » les risques de contamination par le sida, si l'on en croit Abraham, notre père) et leur organisent une somptueuse cérémonie de *bar-mitsva*, où il n'est pas sûr cependant que la nourriture soit cachère, en attendant de les faire marier par un rabbin, de préférence réformateur, s'il y en a un dans les environs. Voici donc comment un juif manifeste son appartenance à l'*ethnos* ancien, sans efforts particuliers.

Ces pratiques pseudo-religieuses, puisqu'il ne s'agit pas de gens sérieusement croyants, ne portent pas vraiment à conséquence : aspirer à un cadre identitaire intimiste où l'on vient chercher un soulagement est pleinement respectable. À une époque où l'État-nation est de moins en moins à même de donner un sens à ses grands collectifs, lorsque la réserve d'ennemis nationaux est épuisée et que les grandes utopies politiques et sociales sont à l'agonie, trouver une communauté mi-religieuse mi-tribale embellit le quotidien.

On pourrait considérer avec bienveillance le fait que pour préserver leur identité juive des parents choisissent de faire circoncire leurs nourrissons, bien que cette ablation de l'« impureté » soit irrationnelle et surtout que, d'après moi, elle porte atteinte au droit fondamental de l'homme à son intégrité corporelle. Cependant, si au nom du maintien d'une identité juive fantasmée des parents laïcs empêchent leurs enfants d'aimer un partenaire perçu comme non juif, dans la crainte qu'il l'épouse, il s'agit là de racisme ordinaire.

Les « juifs ethniques » peuvent se faire du souci : plus de 50 % des descendants judéo-américains et autant en Europe se marient avec des non-juifs. Les institutions communautaires, avec l'aide de l'Agence juive, s'emploient au maximum, sans aucune honte, à freiner cette tendance. Elles savent bien qu'en l'absence de judéophobie c'est le besoin profond d'amour et d'une vie de couple libérée des liens de la tradition qui détruit, lentement mais sûrement, le « peuple juif ». Déjà, au début des années 1970, Golda Meir, alors Premier ministre d'Israël, n'avait-elle pas déclaré que qui se mariait avec un non-juif s'ajoutait aux six millions !

L'instauration d'un rituel autour de la Shoah permet aussi de conserver à tout prix une identité juive séparée et exclusive. Qui objecterait au souvenir de l'horreur européenne ? Bien au contraire : son oubli dans le monde occidental ajouterait le péché au crime. Mais quand les sionistes et leurs supporters transforment le souvenir de la destruction en une religion laïque, avec ses pèlerinages sur les bûchers reconstitués de l'extermination, et instillent une paranoïa dans les consciences de la génération « juive » de demain, force est de s'interroger : une identité construite en rappelant constamment le traumatisme du passé aboutit généralement à des troubles dangereux pour ceux qui en sont porteurs et pour ceux qui vivent à leurs côtés. Alors même qu'Israël est la seule puissance atomique du Moyen-Orient, il entretient l'effroi chez ses partisans dans le monde, en pointant à l'horizon du futur le spectre d'une nouvelle Shoah. Il y a là l'ingrédient de catastrophes futures.

Disons-le : l'identité juive laïque se maintient surtout, de nos jours, en perpétuant ses rapports avec Israël et en le soutenant inconditionnellement. Si jusqu'à la guerre de juin 1967 Israël a occupé une place relativement secondaire dans la sensibilité des descendants juifs en Occident, depuis cette date en revanche le petit État qui venait de faire étalage de sa grande force, et était même apparu comme une petite puissance, est devenu source de fierté pour bon nombre d'entre eux. Tout pouvoir attire vers lui une masse d'adeptes et se constitue plus ou moins en foyer d'adulation et de culte. Les soldats de l'armée israélienne, sveltes et fringants, juchés sur leurs puissants chars d'assaut ou appuyés avec superbe contre des avions de chasse, ont intégré la photo de ce qui tient lieu de carte d'identité imaginaire pour beaucoup de nouveaux juifs dans le monde. Ainsi, Israël a conquis auprès des institutions communautaires un prestige dont il a su tirer une utilité maximale.

L'Agence juive a désormais mis fin à ses dernières tentatives infructueuses d'amener en Israël les « juifs persécutés ». Depuis la chute de l'URSS, il n'existe plus d'endroit dans le monde d'où les descendants du « peuple élu » seraient empêchés d'émigrer vers l'État des juifs. Le sionisme a modifié son objectif et s'est offert une deuxième jeunesse. Maintenant, et plus que jamais, il est demandé à ceux qui aspirent à s'identifier à la semence d'Abraham de récolter des fonds au profit du pays des juifs en pleine expansion territoriale, et surtout de faire jouer tous leurs réseaux susceptibles d'influer sur la politique extérieure et sur l'opinion publique de leur pays. Ce dernier objectif a enregistré des résultats remarquables. À une époque où le communautarisme bénéficie d'une légitimité croissante, à l'ère de la révérence donnée à la civilisation « judéo-chrétienne » qui à son tour consacre le « choc des civilisations », on peut arborer sa fierté d'être juif et de se trouver aux côtés des puissants qui dominent l'Histoire.

Il existe, certes de façon minoritaire, des personnes qui se définissent comme « juifs laïcs » et qui, isolément ou en groupe, tentent de s'organiser pour protester contre la politique israélienne de ségrégation et d'occupation. Ils craignent à juste titre que se renouvelle une judéophobie aveugle et stupide qui englobe tous les descendants juifs dans un peuple-race particulier et, plus grave encore, les confond avec les sionistes[1]. Mais la volonté de ces juifs laïcs de continuer à s'identifier à une « communauté » juive, bien que compréhensible de la part de cette génération immédiatement postérieure au génocide, apparaît comme une posture temporaire de peu de poids et sans avenir politique.

Une sensibilité spécifique, louable, peut s'exprimer parmi ces descendants juifs antisionistes, mais si, sans avoir vécu en Israël, sans connaître sa langue et sans avoir éprouvé sa culture, ils se donnent un droit particulier, distinct de celui des non-juifs, à réprouver Israël, comment reprocher aux pro-sionistes bruyants de s'octroyer le privilège d'intervenir activement dans la fixation de l'avenir et du destin d'Israël ?

---

1. Une judéophobie nouvelle, directement liée au conflit israélo-palestinien, se manifeste chez des musulmans radicaux.

XII

SORTIR DU CLUB EXCLUSIF

Démission

Au cours de la première moitié du XXe siècle, mon père a abandonné l'école talmudique, n'a plus remis les pieds à la synagogue et a depuis lors exprimé son aversion pour les rabbins. En ce début de XXIe siècle, je me sens à mon tour dans l'obligation morale de rompre définitivement avec ce judéocentrisme tribal. Je suis pleinement conscient de n'avoir jamais véritablement été un juif laïc, sachant qu'un tel sujet imaginaire est dépourvu d'assise et d'horizon culturels et que son existence se fonde sur une vision creuse et ethnocentrique du monde. Je me suis trompé à l'époque, lorsque je croyais que la culture yiddish dans laquelle j'ai grandi était l'incarnation de la culture juive. En compagnie de Bernard Lazare, Mordechaï Anielewicz, Marcel Rayman et Marek Edelman, je me suis longtemps identifié comme partie prenante d'une minorité opprimée et rejetée. Je me suis obstiné à être juif avec Léon Blum, Julian Tuwim et bien d'autres qui avaient accepté d'endosser cette identité à cause des persécutions et des bourreaux, du crime et des assassinés.

Supportant mal que les lois israéliennes m'imposent l'appartenance à une ethnie fictive, supportant encore plus mal d'apparaître auprès du reste du monde comme membre d'un club d'élus, je souhaite démissionner et cesser de me considérer comme juif.

Bien que l'État d'Israël ne soit pas disposé à transformer la mention de ma nationalité de « juif » en « Israélien », j'ose espérer qu'aussi bien des gentils philosémites que des sionistes engagés et des antisionistes exaltés, souvent nourris de conceptions essentialistes, respecteront ma volonté et cesseront de me cataloguer comme juif. En vérité, ce qu'ils pensent m'importe peu, et pas davantage ce que pense le reliquat d'idiots antisémites. À la lumière des histoires tragiques du XXe siècle, je suis déterminé à ne plus faire bande à part dans un club de prestige réservé auquel d'autres hommes n'ont ni possibilité ni vocation de se joindre.

Par mon refus d'être juif, je représente une espèce en voie de disparition. En insistant sur le fait que seul mon passé historique était juif, que mon présent quotidien est israélien, pour le meilleur et pour le pire, et qu'enfin mon futur et celui de mes enfants, tel qu'en tout cas je le souhaite, doit être guidé par des principes universels, ouverts et généreux, je sais que je vais à l'encontre des modes dominantes orientées vers l'ethnocentrisme.

En tant qu'historien des temps modernes, j'émets l'hypothèse que la distance culturelle entre mon arrière-petit-fils et moi sera égale, voire supérieure, à celle qui me sépare de mon arrière-grand-père. Tant mieux ! Je vis, malheureusement, parmi trop de gens qui croient que leurs descendants leur ressembleront en tout point parce que pour eux les peuples sont éternels, et a fortiori un peuple-race comme leur peuple juif.

J'ai conscience de vivre dans l'une des sociétés les plus racistes du monde occidental. Le racisme est bien sûr omniprésent, mais en Israël on le trouve dans l'esprit des lois, on l'enseigne dans les écoles, il est diffusé dans les médias. Surtout, c'est là le plus terrible, les racistes ne savent pas qu'ils le sont et de ce fait ne se sentent nullement obligés de s'excuser. En conséquence Israël est devenu une référence particulièrement prisée par une majorité de mouvements d'extrême droite dans le monde dont jadis l'antisémitisme était bien connu.

Vivre dans une telle société m'est devenu insupportable mais, je l'avoue, il ne m'est pas moins difficile d'habiter ailleurs. Je fais partie du produit culturel, linguistique et même mental de l'entreprise sioniste, et je ne peux m'en défaire. Par ma vie quotidienne et ma culture de base, je suis un Israélien. Je n'en éprouve pas de fierté, pas plus qu'à être un homme aux yeux bruns et de taille moyenne. J'ai même souvent honte d'Israël, notamment lorsque je vois la cruelle colonisation militaire dont sont victimes des faibles, sans défense, qui ne font pas partie du « peuple élu ».

Utopie ?

J'ai fait un rêve utopique et évanescent : le Palestino-Israélien se sentait à Tel-Aviv comme le

Judéo-Américain se sent à New York ! Je luttais pour que dans mon pays la vie civile de l'Israélien musulman à Jérusalem soit semblable à celle du Français juif qui habite à Paris. Je souhaitais que les enfants israéliens de l'immigrée africaine chrétienne soient traités comme le sont à Londres les enfants britanniques de l'immigrée venue du sous-continent indien. J'ai espéré de tout cœur que tous les élèves israéliens soient accueillis, en commun, dans les mêmes écoles. Je sais aujourd'hui que mon rêve était outrageusement exigeant, que mes demandes étaient impertinentes : le fait même de les formuler est considéré par les sionistes et leurs partisans comme une atteinte au caractère juif de l'État d'Israël, et donc comme une marque d'antisémitisme.

Cependant, aussi étrange que cela paraisse, et au contraire de l'identité juive laïque verrouillée, l'israélité – représentation politico-culturelle et non pas « ethnique » – a un potentiel d'identité ouverte et intégrative. Selon la loi, on peut en effet être citoyen israélien sans être un « juif ethnique laïc », participer à sa haute culture tout en conservant de multiples « infra-cultures », parler la langue hégémonique et cultiver parallèlement une autre langue, maintenir des modes de vie variés et en fusionner certains. Pour concrétiser ce potentiel politique républicain, il aurait fallu depuis longtemps renoncer à l'hermétisme tribal, apprendre à respecter l'autre, l'accueillir en égal et rendre compatibles les lois constitutionnelles d'Israël avec les principes démocratiques.

Et au cas où on l'avait oublié : avant d'émettre des idées sur un changement de la politique identitaire israélienne, il faudrait déjà se libérer de cette maudite et interminable occupation qui nous mène en enfer. La relation avec l'autre, citoyen de second rang en Israël, est inextricablement liée à la relation avec celui qui vit dans une immense détresse, tout en bas de la chaîne des actions de grâce sionistes. Cette population opprimée, vivant sous occupation depuis bientôt cinquante ans, privée de droits politiques et civiques, sur une terre que l'« État des juifs » considère comme sienne, est abandonnée par la politique internationale. Je reconnais que mon rêve de la fin de l'occupation et de la création d'une confédération entre les deux républiques, israélienne et palestinienne, avait sous-estimé le rapport de force entre les deux parties.

Ne pas renoncer

Il apparaît de plus en plus qu'il est déjà trop tard ; toute approche sérieuse d'une solution politique est cadenassée. Israël s'y est habitué et est incapable de se délivrer de sa domination coloniale sur un autre peuple. Le monde extérieur ne fait pas ce qu'il faudrait : ses remords et sa mauvaise conscience l'empêchent de convaincre Israël de se retirer sur les frontières qu'il avait obtenues en 1948. Israël n'est pas non plus prêt à annexer officiellement les territoires conquis, car dans ce cas il devrait accorder une citoyenneté égale à la population occupée et par là même se transformer en État binational. On dirait que le serpent mythologique qui a avalé sa proie préfère s'étouffer plutôt que de renoncer.

Pour autant, dois-je moi aussi renoncer ? Je vis dans une véritable contradiction : je me sens comme un exilé face à l'ethnicisation juive croissante qui nous enferme, mais je parle, j'écris et je rêve pour l'essentiel en hébreu. À l'étranger, j'ai la nostalgie de cette langue, réceptacle de mes émotions et de mes pensées. Quand je suis loin d'Israël, je revois mon coin de rue tel-avivien et j'attends le moment où je pourrai m'y retrouver. Pour dissiper cette nostalgie, je ne vais pas dans les synagogues, car on y prie dans une langue qui n'est pas la mienne ; les gens qui s'y trouvent ne comprennent absolument pas ce que signifie pour moi l'israélité, et ils n'aspirent pas à la partager avec moi. À Londres, ce sont les universités, avec leurs étudiants et étudiantes, et non pas les écoles talmudiques avec leurs étudiants (il n'y a pas d'étudiantes), qui me rappellent le campus où je travaille. À New York, ce sont les cafés de Manhattan, et non pas les communautés de Brooklyn, qui me tendent les bras et m'attirent, comme ceux de Tel-Aviv. En pénétrant dans les inépuisables librairies parisiennes, c'est la Semaine du livre hébreu, organisée chaque année en Israël, qui me vient à l'esprit, et non pas la littérature sacrée de mes ancêtres.

Mon attachement profond à ce lieu ne fait qu'attiser le pessimisme que j'éprouve à son égard. Ainsi, je plonge fréquemment dans une mélancolie qui se désole du présent et s'angoisse du futur. Je suis fatigué, et je sens que les dernières feuilles de la raison tombent de notre arbre d'action politique, nous laissant à découvert face aux caprices des sorciers somnambules de la tribu. Cependant, je ne suis pas un philosophe métaphysicien, juste un historien qui essaie de comparer, aussi ne puis-je me permettre d'être complètement fataliste. J'ose croire que si l'humanité a quitté le XXᵉ siècle sans guerre atomique, tout est presque possible, même au Moyen-Orient. Souvenons-nous de la parole de Theodor Herzl, ce rêveur historiquement responsable de ma nationalité israélienne : « Si vous le voulez, ce ne sera pas une légende. »

En tant que rejeton des persécutés qui sont sortis de l'enfer européen des années 1940, sans avoir abandonné l'espoir d'une vie meilleure, je n'ai pas reçu de l'archange effrayé de l'Histoire la permission de renoncer et de désespérer. C'est pourquoi, afin de hâter d'autres lendemains, et quoi qu'en disent mes détracteurs, je continuerai d'écrire des livres semblables à celui dont vous achevez la lecture.

TABLE DES MATIÈRES

Mise en page

44400 Rezé

CET OUVRAGE
A ÉTÉ ACHEVÉ D'IMPRIMER
SUR ROTO-PAGE
PAR L'IMPRIMERIE FLOCH
À MAYENNE EN SEPTEMBRE 2013

N° d'édition : L.01ELJN000459.A003. N° d'impression : 85381
Dépôt légal : mars 2013
Imprimé en France